崇文館 家庭典藏

崇文国学经典 普及文库

帝鉴图说

（明）张居正◎编撰 陈生玺◎注译

长江出版传媒
崇文书局

帝鉴图说

图书在版编目（CIP）数据

帝鉴图说 /（明）张居正编撰；陈生玺注译 .
—武汉 ：崇文书局，2017.1
（崇文国学经典普及文库）
ISBN 978-7-5403-4250-0
Ⅰ. ①帝…
Ⅱ. ①张… ②陈…
Ⅲ. ①政治思想史－中国－古代②《帝鉴图说》－注释③《帝鉴图说》－译文
Ⅳ. ①D092.2
中国版本图书馆 CIP 数据核字（2016）第 263739 号

出 品 人 潘启胜

统　　筹 陈中琼
责任编辑 李慧娟
出版发行 长江出版传媒 | 崇文书局
地　　址 武汉市雄楚大街 268 号 C 座 11 层
电　　话 (027)87293001 邮政编码 430070
印　　刷 湖北恒泰印务有限公司
开　　本 889×1194 1/32
印　　张 10.25
字　　数 215 千字
版　　次 2017 年 1 月第 1 版
印　　次 2017 年 1 月第 1 次印刷
定　　价 32.80 元
（如发现印装质量问题，影响阅读，请与承印厂调换）

总序

现代意义的“国学”概念，是在19世纪西学东渐的背景下，为了保存和弘扬中国优秀传统文化而提出来的。1935年，王缁尘在世界书局出版了《国学讲话》一书，第3页有这样一段说明：“庚子义和团一役以后，西洋势力益膨胀于中国，士人之研究西学者日益众，翻译西书者亦日益多，而哲学、伦理、政治诸说，皆异于旧有之学术。于是概称此种书籍曰‘新学’，而称固有之学术曰‘旧学’矣。另一方面，不屑以旧学之名称我固有之学术，于是有发行杂志，名之曰《国粹学报》，以与西来之学术相抗。‘国粹’之名随之而起。继则有识之士，以为中国固有之学术，未必尽为精粹也，于是将‘保存国粹’之称，改为‘整理国故’，研究此项学术者称为‘国故学’……”从“旧学”到“国故学”，再到“国学”，名称的改变意味着褒贬的不同，反映出身处内忧外患之中的近代诸多有识之士对中国优秀传统文化失落的忧思和希望民族振兴的宏大志愿。

从学术的角度看，国学的文献载体是经、史、子、集。崇文书局的这一套国学经典普及文库，就是从传统的经、史、子、集中精选出来的。属于经部的，如《诗经》《论语》《孟子》《周易》《大学》《中庸》《左传》；属于史部的，如《战国策》《史记》《三国志》《贞观政要》《资治通鉴》；属于子部的，如《道德经》《庄子》《孙子兵法》《鬼谷子》《世说新语》《颜氏家训》《容斋随笔》《本草纲目》《阅微草堂笔记》；属于集部的，如《楚辞》《唐诗三百首》《豪放词》《婉约词》《宋词三百首》《千家诗》《元曲三百首》《随园诗话》。这套书内容丰富，而分量适中。一个希望对中国优秀传统文化有所了解的人，读了这些书，一般说来，犯常识性错误的可能性就很小了。

崇文书局之所以出版这套国学经典普及文库，不只是为了普及国学常识，更重要的目的是，希望有助于国民素质的提高。在国学教育中，有一种倾向需要警惕，即把中国优秀的传统文化“博物馆化”。“博物馆化”是20世纪中叶美国学者列文森在《儒教中国及其现代命运》中提出的一个术语。列文森认为，中国传统文化在很多方面已经被博物馆化了。虽然中国传统的经典依然有人阅读，但这已不属于他们了。“不属于他们”的意思是说，这些东西没有生命力，在社会上没有起到提升我们生活品格的作用。很多人阅读古代经典，就像参观埃及文物一样。考古发掘出来的珍贵文物，和我们的生命没有多大的关系，和我们的生活没有多大关系，这就叫作博物馆化。“博物馆化”的国学经典是没有现实生命力的。要让国学经典恢复生命力，有效的方法是使之成为生活的一部分。崇文书局之所以强调普及，深意在此，期待读者在阅读这些经典时，努力用经典来指导自己的内外生活，努力做一个有高尚的人格境界的人。

国学经典的普及，既是当下国民教育的需要，也是中华民族健康发展的需要。章太炎曾指出，了解本民族文化的过程就是一个接受爱国主义教育的过程："仆以为民族主义如稼穑然，要以史籍所载人物制度、地理风俗之类为之灌溉，则蔚然以兴矣。不然，徒知主义之可贵，而不知民族之可爱，吾恐其渐就萎黄也。"（《答铁铮》）优秀的传统文化中，那些与维护民族的生存、发展和社会进步密切相关的思想、感情，构成了一个民族的核心价值观。我们经常表彰"中国的脊梁"，一个毋庸置疑的事实是，近代以前，"中国的脊梁"都是在传统的国学经典的熏陶下成长起来的。所以，读崇文书局的这一套国学经典普及读本，虽然不必正襟危坐，也不必总是花大块的时间，更不必像备考那样一字一句锱铢必较，但保持一种敬重的心态是完全必要的。

期待读者诸君喜欢这套书，期待读者诸君与这套书成为形影相随的朋友。

陈文新

（教育部长江学者特聘教授，武汉大学杰出教授）

前言

我国古代传统启蒙教育课本《三字经》一开头就说："人之初，性本善，性相近，习相远，苟不教，性乃迁。"是说人初生的本性是善良的，性情互相很接近，由于习染不同，而相距远了，若不教育，性情就会迁移。这是以儒家为主导的教育观：人是可以教育的，为良为莠关键在于教育，尤其是儿童时期的教育。《帝鉴图说》就是明朝晚期内阁大学士张居正为年仅十岁的万历皇帝朱翊钧编写的教学课本。朱翊钧(1563—1620)，明穆宗朱载厚之子，六岁时被立为太子，开始学习的就是《三字经》。[①]十岁时行冠礼，出阁就学，让翰林院的讲官进行专门教育，读"四书"。朱翊钧刚刚就学几个月，隆庆六年(1572)五月，朱载厚就死了，年三十六。六月，朱翊钧即皇帝位，翌年改元万历。朱翊钧虽名义上是皇帝，但由于年纪小，实际朝廷一切大事，都由其生母李太后与太监冯保做主处理。在此期间，发生了首辅高拱与张居正争权问题，张居正和冯保合谋，驱除了高拱，从此，在内阁中张居正便独揽大权。张居正是一个城府很深而且很有政治抱负的人，八月，他便上疏说穆宗的安葬事宜已经完毕，请求皇上恢复日讲学习，过去在东宫时可以每天读书，现在是皇帝了，要上朝接见群臣，处理政事，所以便规定每三、六、九日（还包括十三、二十三；十六、二十六；十九、二十九）视朝，其余每天在文华殿由讲官讲授读书，早上讲“四书”，原先在东宫时读《大学》、《尚书》，现在接着读。讲读完后，临帖写字。近午讲《通鉴节要》，即选择《资治通鉴》中的重要段落讲解，午膳后回宫。“四书”、《通鉴》虽经讲官讲解，但对一个十岁的孩子来说，只能按照传统的方式记忆背诵，不一定能完全了解其意义，所以在进行日讲的同时，张居正又嘱托讲官马自强等人，从历代历史事件中选择出善而可以为法者八十一事，恶而可以为戒者三十六事，每一事按其本意绘一图画，后录传记文字，再附以白话文直解，叙说其意，图文并茂，通俗易懂，取唐太宗以古为鉴之意，取名《历代帝鉴图说》，简称《帝鉴图说》，于隆庆六年十二月十八日进呈。[2]张居正在其进呈疏中阐述了编辑此书的主旨：

今臣等所辑，则善恶并陈，劝惩斯显，譬之，薰莸异器，而臭味顿殊，冰镜澄空，而妍媸自别……伏愿皇上俯鉴愚忠，特垂省览，视其善者，取以为师，从之如不及，视其恶者，用以为戒，畏之如探汤。每兴一念，行一事，即稽古以验今，因人而自考。高山可仰，毋忘终篑之功，覆辙在前，永作后车之戒。则自然念念则纯，事事合理。[3]

是说《帝鉴图说》所辑事例，是善恶并举，美丑并列，劝勉和惩戒区分非常明显，好像香草和臭草分器而置，气味顿然不同，如水和镜的清明，美丑自然分明，希望皇上看到善的，即时效法，唯恐不及；看到恶者，引以为戒，好像以指探汤那样畏惧。每做一事都应该考察古代并验之于今，高山可以仰望，不要忘记添加最后那一筐土的功用，前人犯过的错误，后人应引以为戒，不要再犯。这样每发一念，每行一事，就会自然合理得当，等等。中国历史悠久，经验丰富，成功的、失败的比比皆是，后人要超过前人，必须从前人的经验中吸取营养，学习好的，戒除恶的，这是中国历史传统的一大特点，张居正编纂《帝鉴图说》，以史为鉴，善恶并陈，正确地反映了中国的历史实际，继承了中国历史的优良传统。所以《帝鉴图说》编纂的主导思想是正确的。

朱翊钧看到此书以后，果然非常高兴，不用别人讲解，根据图文就能了解其内容十之三四。从此他便把此书置之座右，随时翻阅，常常于日讲之毕，命张居正为其解说，对于有些感兴趣的问题，通过一问一答的形式进行讨论，提高了认识。例如：

万历元年(1573)三月四日，日讲毕，张居正对朱翊钧讲《帝鉴图说》中汉文帝于细柳“屈尊劳将”事(上编第23节)，针对当时重文轻武、武备废弛的弊端奏说：“古人言，天下虽安，忘战必危，今承平日久，武备废弛，将官受制文吏，不啻奴隶，夫平日既不能养其锋锐之气，临敌何以责其折冲之勇，自今望皇上留意武备，武将忠勇可用者，稍假权柄，使得以展布，庶几临敌号令严整，士卒用命。”④朱翊钧听后深表同意。

元年十月八日，张居正讲《帝鉴图说》中，宋仁宗“不喜珠饰”事(上编

75节),朱翊钧听后说:“国家之所宝,在于贤臣,珠玉之类,宝之何益?”张居正随及申说“明君贵五谷而贱金玉,五谷养人,故圣王贵之,金玉虽贵,饥不可食,寒不可衣,铢两之间,为价不赀,徒费民财,不适于用,故书言‘不作无益害有益,不贵异物贱用物’,良以此耳。”使朱翊钧明白了珠玉奢侈品之无用与五谷之可贵的道理。随后朱翊钧又问及秦始皇销兵器事说:“木棍岂不能伤人,何以销兵为?”张居正为之解释说:“为治唯在布德修政,以固结民心,天下之患每有出于所防之外者,秦末只因几个戍卒倡乱,斩木为兵,揭竿为旗,于是豪杰并起,遂以亡秦,所以说天时不如地利,地利不如人和。惟圣明留意。”[5]要朱翊钧明白,治理国家的根本在于实施好的政令,以团结民心,运用各种方法进行防范是没有用的。秦朝被没有兵器的戍卒陈胜、吴广所灭就是明证。

三年(1575)三月四日,朱翊钧在读《帝鉴图说》(上编32节)光武帝因阳湖公主事“赏强项令”董宣时,很感慨地对张居正说:“彼公主也,尚不能私一奴,如此外戚家,何可不守法令。”[6]等等。

这说明《帝鉴图说》一书,由于编纂得当,可读性强,对年幼的朱翊钧的教育发挥了一定的作用。一方面是由于张居正辅导的认真,他很想通过读书教育使朱翊钧成长为自己所期望的一个皇帝;一方面是朱翊钧的生母李太后对朱翊钧的严格要求。李太后原是穆宗的妃子,因为穆宗死后她的儿子继位为皇帝,才与陈皇后一同晋封为太后,她也希望自己的儿子成为一个铁骨铮铮有作为的皇帝,为此她搬到乾清宫与儿子同住,关照他的起居，遇视朝期，每晨五更便亲自去呼喊儿子醒来，或命左右掖之而起，取水洗脸，使之登辇出朝。每次日讲经筵回宫之后，便命仿效讲官所讲重复一遍，若贪玩或不读书，即罚长跪。[7]所以朱翊钧在内外两方面的监督和辅导下，学习很是认真，一应大事都听从母后和张居正的安排，这也就促成了万历初年张居正改革的实现。至于张居正死后，因太监冯保被劾，事涉张居正，平素被张居正裁抑的大臣便群起而攻之，造成了朱翊钧对张居正态度的改变，甚至夺爵籍没，此是后话。

张居正最初进呈的《帝鉴图说》是写本，不久即有司礼监刊刻的经厂本[8]，自此该书流传宫外，有抄本，有刻本。如北图藏万历元年刊本，进图疏署名张居正、吕调阳，有礼部尚书兼翰林院学士陆树声叙，吏部侍郎兼翰林院侍读学士詹事府詹事王希烈后叙。内容分上下篇，上篇题名"圣哲芳规"，下篇题名"狂愚覆辙"。此后多种刻本即据此本刊刻或影印，如万历三年（1575）巡按云南监察御史郭廷梧刻本即是。又有清内府藏清纯忠堂刻本，内容与万历元年刻本完全相同。只是将王希烈后叙移至上篇之后，扉页署名张居正、吕调阳撰。[9]至于各种流传的抄本，多有文无图。此次整理即根据《四库存目》收录之内府藏清纯忠堂本，并参校以郭廷梧刻本。为了节省篇幅，删去前后叙文和张居正进呈疏，只整理该书正文。1995 年我们（与天津师大贾乃谦、马瑞茳等）曾整理此书，1996 年以《帝鉴图说评注》出版（中州古籍出版社），由于交稿仓促，我作为该书主编，未能详细核定原稿，排印后又未经整理者认真校对，所以注释、译文疏漏、错误、不当之处甚多，深感有负于读者，此次不愿同仁因我疏忽而负文责，故由我一人重新整理一次，予以注释、译文，不写评议。鲁鱼豕亥之误，亦在所难免，希望时贤与读者批评指正。

《帝鉴图说》一书，原书虽为帝王读书而编写，但内容简单，通俗易懂，其中许多理论和方法，经过实践证明对于今天仍然有着其独到的指导意义，用白话文予以注释整理，仍很有必要。

---

① (明)吕毖辑《明朝小史》卷14，万历纪。

②《明神宗实录》卷8，隆庆六年(1572)十二月己巳。

③《四库全书存目》282册，山东图书馆藏清纯忠堂刻本，张居正、吕调阳撰《帝鉴图说》。下同。

④《明神宗实录》卷11，万历元年(1573)三月甲申。

⑤《明神宗实录》卷18，万历元年(1573)十月乙卯。

⑥《明神宗实录》卷36，万历三年(1575)三月癸卯。

⑦《明史》卷114，后妃二，孝定李太后。

⑧ (明)刘若愚《酌中志》卷5。

⑨《四库全书存目》第282册。

上篇　圣哲芳规

目录

目录

下篇　狂愚覆辙

目录

上篇　圣哲芳规

一
羲叔
和仲
和叔

任賢圖治
帝堯
四岳
大舜

任贤图治[1]

唐史纪：尧[2]命羲（xī）和[3]，敬授人时。羲仲[4]居嵎（yú）夷[5]，理东作[6]；羲叔居南交[7]，理南讹[8]；和仲居昧谷[9]，理西成[10]；和叔居朔方，理朔易[11]。又访四岳[12]，举舜[13]登庸[14]。

【解】唐史上记：帝尧在位，任用贤臣，与图治理。那时贤臣有羲氏兄弟二人、和氏兄弟二人。帝尧着他四个人敬授人时。使羲仲居于东方嵎夷之地，管理春时耕作的事；使羲叔居于南方交趾[15]之地，管理夏时变化的事；使和仲居于西方昧谷之地，管理秋时收成的事；使和叔居于北方幽都[16]之地，管理冬时更易的事。又访问四岳之官，着他荐举天下贤人可用者，于是四岳举帝舜为相[17]。那时天下贤才，都聚于朝廷之上，百官各举其职。帝尧垂拱[18]无为，而天下自治。盖天下可以一人主之，不可以一人治之。虽以帝尧之圣，后世莫及，然亦必待贤臣而后能成功。《书》[19]曰："股肱（gōng）[20]惟人，良臣惟圣。"言股肱具而后成人，良臣众而后成圣，意亦为此。其后帝舜为天子，也跟着帝尧行事，任用九官十二牧[21]，天下太平。乃与群臣作歌以记其盛，曰："元首明哉，股肱良哉，庶事康哉[22]。"所以古今称尧舜垂衣裳而天下治，斯任贤图治之效也。

【注释】

①本篇出于《尚书·虞书·尧典》,并见于司马迁《史记·五帝本纪》。记述尧能任用贤能之人,共同治理国政,因而天下太平。

②尧:名放勋。因曾为陶唐氏首领,故史称唐尧。尧都唐(今山西太原),后迁平阳(今山西临汾)。

③羲和:羲氏、和氏。相传羲氏、和氏两部族世代掌管时令季节。

④仲:古人以伯、仲、叔、季作为排行次序。以伯或仲(有时也用孟)指老大,叔或季指老二或排行中最小的。

⑤嵎夷:极东的地方。

⑥东作:春天的农事。

⑦南交:南方最远处的边境。

⑧南讹:指夏天的农事。

⑨昧谷:西方日落的地方。昧,昏暗。

⑩西成:指秋天的农事。

⑪朔易:指冬天的农事。

⑫四岳:分管四方的部落首领。

⑬舜:名重华,姚姓。因曾任有虞氏首领,故史称虞舜。"五帝"之一。

⑭登庸:皇帝即位。这里指舜被举荐而成为尧的继承人。

⑮交趾:古代地区名。泛指五岭以南地区。

⑯幽都:泛指北方极远的地方,旧称日没于此。

⑰相:古官名,后世专指宰相。

⑱垂拱:垂衣拱手。形容不费气力。

⑲《书》:指《尚书》。内容为夏、商、周三代政治文诰(gào)汇编。

⑳股肱:大腿和胳膊。常以之喻辅佐君主的大臣。

㉑九官十二牧:九官指《尚书·舜典》所记舜设立的九种官职,即伯禹

作司空，弃为后稷(jì)，契(xiè)作司徒，皋(gāo)陶(yáo)作士，垂为共工，益作朕(zhèn)虞，夔(kuí)为典乐，龙为纳言，俞作秩宗。十二牧：即十二州及其长官。

㉒元首：君主。庶事：众事。

【译文】

唐虞史书上记载：唐尧在位时，任命羲氏、和氏兄弟四人负责掌管农事季节时令，让他们慎重地教给当时民众农事的季节。命令羲仲住在嵎夷，按秩序安排好春天耕种的农事；命令羲叔住在南交，有计划地分配夏天的农事；命令和仲住在昧谷，负责安排好秋天收获的农事；命令和叔住在朔方，负责安排好冬天积蓄储藏，以应付变化。唐尧又向四岳等人征询意见，四岳等人共同推荐虞舜做唐尧的继承人。

谏鼓谤木[1]

唐史纪：尧置敢谏之鼓，使天下得尽其言；立诽(fěi)谤(bàng)[2]之木，使天下得攻[3]其过。

【解】唐史上记：帝尧在位，虚己受言。常恐政事有差谬，人不敢当面直言，特设一面鼓在门外，但有直言敢谏者，着他就击鼓求见，欲天下之人，皆得以尽其言也。又恐自己有过失，人在背后讥议，己不得闻，特立一片木在门外，使人将过失书写在木上，欲天下之人，皆得以攻其过也。夫圣如帝尧，所行皆尽善尽美，宜无可谏可谤者，而犹惓(quán)惓[4]以求言，闻过为务，故下情无所壅(yōng)而君德日以光[5]。然欲法尧为治，亦不必置鼓立木，徒仿其迹，但能容受直言，不加谴责，言之当理者，时加奖赏以劝励之，则善言日闻，而太平可致矣。

【注释】

①本篇出于《吕氏春秋·自知》，并见于《淮南子·主术训》。谏：规劝(君主、尊长或朋友)，使改正错误。记载唐尧纳谏的故事。

②诽谤：诽，不满怨恨之言；谤，指责别人的过失。

③攻：直接指责过失。

④惓惓：同"拳拳"，恳切的样子。

⑤日以光：一天天凭此而光大。

【译文】

唐虞史书上记载：唐尧放置让人敢于前来劝谏的鼓，让天下人都能够说出他们想说的话；竖立起一块可以书写他过失内容的木板，让天下的人都能尽情指出他存在的错误。

孝德升闻[1]

虞史纪：舜父瞽(gǔ)叟[2]，娶后妻生象，父顽[3]母嚚(yín)[4]，象傲。常欲杀舜，舜避逃，克谐以孝，瞽叟亦允若。帝求贤德，可以逊位[5]，群臣举舜，帝亦闻之。于是以二女妻舜，舜以德率二女，皆执妇道。

【解】虞史上记：大舜的父是个瞽目人，他前妻生的儿子就是大舜。舜母故了，瞽叟又娶一个后妻，生的儿子叫做象。那瞽叟愚顽不知道理，后妻嚚恶不贤，象又凶狠无状[6]。他三个人时常商量着要杀舜，舜知道了，设法躲避，然后得免。然终不敢怨其父母，只尽自家的孝道。久之，感化得一家人都和睦。瞽叟见他这等孝顺，也相信欢喜了，所以人都称他为孝子。当时帝尧要求贤德的人可逊以帝位者，群臣都举荐他。比先，帝尧已知大舜善处父母兄弟，是个圣人，但是不知他处夫妇之间何如。于是召舜去，把两个女子都嫁与他为妻。舜又能以德化率这二女，在他父母前都尽做媳妇的道理。尧因此遂禅（shàn）以帝位。自古圣贤，皆以孝行为本，然父母慈爱而子孝顺，尚不为难。独舜父母不慈，而终能感化，所以当时以为难能，而万世称为大孝也。

【注释】

①本篇出于《尚书·虞书·舜典》，并见于《史记·五帝本纪》。记述虞舜因孝敬父母而名闻天下的故事。

②瞽叟：瞽，眼睛瞎。这里指不能分辨颜色，引申为没有识别能力。因舜父不辨善恶，故谓之瞽叟。

③顽：愚妄。

④嚚：愚蠢不通事理。

⑤逊位：特指让出帝王之位。

⑥无状：无礼。

【译文】

虞史书上记载：虞舜的父亲瞽叟，在舜的母亲去世后，娶了一位后妻，她生下了舜的异母弟弟象。舜的父亲愚鲁狂妄，继母不通事理，象傲慢凶狠。他们三人合谋，总想杀死舜，舜总是设法逃避过去。在这种情况下，虞舜仍能和谐地尽孝道，瞽叟在虞舜的感召之下，也变得和顺了。唐尧这时正在四处寻找德才兼备的人，并准备把帝位让给他。群臣共同推荐舜，唐尧也曾听说有关舜尽孝的事迹，在这样的情况下，唐尧把两个女儿娥皇、女英同时嫁给舜做妻子，以便借机进一步考察他。舜用道德给她二人做出表率，她二人也都能遵守当时妇女的规范。

揭器求言[①]

夏史纪：大禹[②]悬钟、鼓、磬(qìng)、铎(duó)、鞀(táo)[③]，以待四方之士[④]，曰："教寡人[⑤]以道者，击鼓；谕以义者，击钟；告以事者，振铎；语(yù)以忧者，击磬；有狱讼(sòng)者，摇鞀。"

【解】夏史上记：大禹既居帝位，恐自家于道有未明，义有未熟，或事务有不停当处，或有可忧而不知，或狱讼之未断，四方远近的人，无由得尽其言。于是将钟、鼓、磬、铎、鞀五样乐器挂在外面，告谕臣民，说道："有来告寡人以道者，则击鼓；谕以义者，则撞钟；告以事者，则振铎；语以忧者，则敲磬；有狱讼者，则摇鞀。"禹在里面，听见有哪一件声响，便知是哪一项人到，就令他进见尽言。夫禹是大圣，聪明固以过人，而又能如此访问，则天下事物岂有一件不知，四方民情岂有一毫壅蔽？此禹之所以为大，而有夏之业所由以兴也。

【注释】

①本文出于《鬻(yù)子》。揭：举。本文记述了大禹虚心纳谏的故事。

②禹：姓姒(shì)，夏后氏首领。受舜禅让，即天子位，国号曰夏，故史称夏禹。名前加一"大"字，表尊敬。

③钟、鼓、磬、铎、鞀：古代五种乐器。钟、鼓今仍常见。磬是一种石制

打击乐器;铎为铜制,形如大铃;鞀状如鼓,但比鼓小,有柄,两边有环,可摇动。

④士:最早义为武士,后为贵族中最低一级。这里泛指人。

⑤寡人:寡德之人。先秦时一般用于帝王或诸侯的自谦。

【译文】

夏代的史书上记载:大禹曾悬挂钟、鼓、磬、铎、鞀五种乐器,用这样的方式来等待四方的士人前来提出意见。他说:“前来教我治国之道的人,请击鼓;前来告知我礼法道义的人,请敲钟;前来向我反映情况的人,请振铎;前来向我诉说忧虑的人,请击磬;前来告状诉讼的人,请摇鞀。”

下车泣罪[1]

夏史纪：大禹巡狩[2](shòu)，见罪人，下车问而泣之。左右曰："罪人不顺道[3]，君王何为痛之？"王曰："尧舜之人皆以尧舜之心为心[4]；我为君，百姓各以其心为心[5]，是以痛之。"

【解】夏史上记：大禹巡行诸侯之国[6]，路上遇见一起犯罪的人，心中不忍，便下车来问其犯罪之由，因而伤痛垂泣。左右的人问道："这犯罪之人，所为不顺君道，正当加以刑罚，君王何故痛惜他？"禹说："我想尧舜为君之时，能以德化人[7]，天下的人都依着尧舜的心为心，守礼安分，自不犯刑法。今我为君，不能以德化人，这百姓们各以其心为心，不顺道理，所以犯罪。是犯罪者虽是百姓，其实由我之不德有以致之，故我所以伤痛者，不是痛那犯罪之人，盖痛我德衰于尧舜也。"大禹不以罪人可恶，而以不德自伤如此，则所以增修其德，而期[8]于无刑者，无所不至矣。

【注释】

①本篇出于刘向《说苑·君道》。记述了夏禹勇于自责的故事。

②巡狩：帝王离开国都视察各地称巡行。

③道：这里指律令。

④以尧舜之心为心：即是按照尧舜的德化要求及想法去做。
⑤以其心为心：即是按照各个人自己的意愿行事。
⑥诸侯之国：封建社会的地方政权。禹时并没有分封诸侯之事，这里实指部落联盟之内的各个部落。
⑦以德化人：用道德教化来教育感化人们。
⑧期：期望，希望。

【译文】

夏代史书上记载：有一次大禹离京出外巡视，看见一些犯罪的人，他下车询问他们犯罪的原因，并且为他们的犯罪感到自责伤心而哭泣。左右的人很不理解，发问说："罪人们之所以犯罪，是因为他们不遵循法规律令，君王您为什么反而感到伤痛呢？"大禹回答说："尧舜时代的人，都能够用尧舜的思想作为他们自己的思想，并认真去实行；我做君王，百姓们却根据自己的主观意愿作为他们的行事准则，各行其是，因此我感到内心伤痛。"

戒酒防微[1]

夏史纪：禹时仪狄[2] (dí) 作酒。禹饮而甘之，遂疏仪狄，绝旨酒，曰："后世必有以酒亡国者。"

【解】夏史上记：大禹之时，有一人叫做仪狄，善造酒。他将酒进上大禹，禹饮其酒，甚是甘美，遂说道："后世之人，必有放纵于酒以致亡国者。"于是疏远仪狄，再不许他进见；屏 (bǐng) 去旨酒，绝不以之进御。夫酒以供祭祀、燕飨[3]，礼所不废，但纵酒过度，则内生疾病，外废政务，乱亡之祸，势所必至。故圣人谨始虑微[4]，预以为戒，岂知末世孙桀 (jié)[5]，乃至以酒池牛饮[6]为乐，卒底[7]灭亡。呜呼！祖宗之训，可不守哉！

【注释】

①本篇出于宋代刘恕《资治通鉴外纪》卷 2。记述了大禹自律戒酒、以防误国事的故事。

②仪狄：相传夏禹时造酒的人。

③燕飨：古代帝王饮宴群臣、国宾。燕：通"宴"，宴饮。

④谨始虑微：一开始就小心谨慎，周密思虑到事情的细微之处。

⑤桀：夏朝最后一位君主，以暴虐荒淫亡国。

⑥牛饮：像牛喝水一样豪饮。

⑦卒底:最终,达到。

【译文】

夏代史书上记载:大禹的时候,仪狄善于造酒。大禹饮用后,认为味道甘美。大禹从此疏远仪狄,戒掉这美味可口的酒,并且说:“后世一定会有因纵酒而亡国的君主。”

解网施仁[1]

商史纪：汤[2]出，见网于野者，张其四面而祝[3]之曰："自天下四方，皆入吾网。"汤曰："嘻！尽之矣！"解其三面，而更其祝曰："欲左，左；欲右，右；欲高，高；欲下，下；不用命[4]者，乃入吾网。"汉南诸侯闻之，曰："汤德至矣，及禽兽。"一时归商者，三十六国。

【解】商史上记：成汤为君宽仁，曾出至野，见有人四面张着罗网捕鸟雀，口里祷祝说："从天上坠下的，从东西南北四方飞来的，都要落在我网里。"汤闻之不忍，叹息说："这等，是那鸟雀一个也逃不出去了，何伤害物命不仁[5]如此！"于是使从人将那网解去三面，只存一面。又重新替他祷祝，说道："鸟之欲左者左，欲右者右，欲高者高，欲下者下，任从你飞翔；只是舍命要死的，乃落吾网中。"夫汤之不忍害物如此，其不忍于害民可知。所以当时汉江之南的列国诸侯，闻汤这一事，都称说："汤之仁德，可谓至矣，虽禽兽之微，亦且及之，而况于人乎？”于是三十六国，一时归商。盖即其爱物，而知其能仁民，故归之者众也。

【注释】

①本篇出于《史记·殷本纪》。记述汤不忍伤害禽类的故事。

②汤：子姓。商朝的开国君主，谥为成汤；又称商汤。

③祝：以言告神祈福。

④不用命：不听从劝告。

⑤仁：古代一种含义广泛的道德观念，核心是指人与人之间相亲相爱。

【译文】

商代史书上记载：成汤有一次外出，看见一个在野外张网捕鸟的人。那个人把鸟网四面张开，并且向神祷告说："从天下四方飞来的鸟，全都钻入我的鸟网吧。"成汤见到这种情形说："哎呀！这样不是要把天下的鸟捕尽杀绝了吗！"于是成汤让随从解开其中的三面网，只存一面，并命那个人改变他的祈祷内容说："要往左飞的，就往左；要往右飞的，就往右；要向高处飞的，就向高处飞；要向下面飞的，就向下飞；不听从劝告的，就进入我的网。"汉江以南的列国诸侯听说这件事后，都说："成汤的道德修养已经达到极点了，竟然能将恩德推广到禽兽身上。"一时之间，归顺商朝的诸侯国竟多达三十六个。

桑林祷雨[①]

商史纪：成汤时，岁久大旱。太史[②]占[③]之，曰："当以人祷。"汤曰："吾所为请雨者，人也。若必以人，吾请自当。"遂斋戒[④]、剪发、断爪，素车[⑤]白马，身婴白茅，以为牺牲[⑥]，祷于桑林之野。以六事自责曰："政不节欤？民失职欤？宫室崇欤？女谒（yè）[⑦]盛欤？包苴[⑧]行欤？谗夫昌欤？"言未已，大雨方数千里。

【解】商史上记：成汤之时，岁久不雨，天下大旱。灵台官太史占侯说："这旱灾，须是杀个人祈祷，乃得雨。"成汤说："我所以求雨者，正是要救济生人，又岂忍杀人以为祷乎？若必用人祷，宁可我自当之。"遂斋戒身心，剪断爪发，素车白马，减损服御，身上披着白茅草，就如祭祀的牺牲模样，乃出祷于桑林之野。以六件事自责，说道："变不虚生，必有感召[⑨]。今天降灾异以儆（jǐng）戒我，或者是我政令之出，不能中节欤？或使民无道，失其职业欤？或所居的宫室，过于崇高欤？或宫闱（wéi）的妇女，过于繁盛欤？或包苴之贿赂得行其营求欤？或造言生事的谗人，昌炽（chì）而害政欤？有一于此，则宁可降灾于我一身，不可使百姓每受厄。"汤当时为此言，一念至诚，感动上天，说犹未了，大雨即降，方数千里之广。盖人有善念，天必从之，况人君为天之子，一言一动，上帝降临，转灾为祥，乃理之必然也。

【注释】

①本篇事出《帝王世纪》，并见《淮南子·主术训》。记述商汤重民并为民祷雨及勇于自责的故事。

②太史：官名。三代（夏、商、周）为史官及历官之长。

③占：即占卜，以求预知吉凶祸福。

④斋戒：古时在祭祀前沐浴，整洁身心，以示虔敬。

⑤素车：没有装饰的车子。素，没有染色的丝织品。

⑥牺牲：古代供祭祀用的纯色牲畜。这里指祭品。

⑦女谒：官廷嬖(bì)宠的女子。

⑧包苴：这里指通过财物贿赂求取官职。

⑨"变不虚生"二句：灾变不是凭空产生的，一定是人与上天相互感应而形成。这是古代的"天人感应"说。

【译文】

商代史书中记载:成汤在位时,年久大旱。太史占卜之后,说:“应当杀一个人来向神祈雨。”成汤说:“我所要做的事,正是为了人才求雨。要是一定要用杀人的方式向神求雨,请允许由我自己来充当。”于是成汤沐浴斋戒,修剪头发、指甲,乘着白马拉着的没有华丽装饰的车子,身上缠绕着白茅,作为向神祈雨的祭品,在桑林旷野中向神祷告,在六件事上自我责备说:“是我在政事上不合乎法度吗?是我使民无道而使之失去职守了吗?是我的宫室过高了吗?是我内宫的妇女过多并且过分奢侈了吗?是贿赂求官的人达到其钻营目的了吗?是进谗言的人得逞而肆意妄行了吗?”成汤的话还没有说完,方圆数千里便下起了大雨。

德灭祥桑[1]

商史纪：太戊时有祥桑与谷[2]合生于朝，一暮大拱，太戊（wù）[3]惧。伊陟（zhì）[4]曰："妖不胜德，君之政，其有阙（quē）欤？"太戊于是修先王之政，明养老之礼，早朝晏（yàn）退，问疾吊丧。三日而祥桑枯死；三年远方重译[5]而至者七十六国，商道复兴。

【解】商史上记：中宗太戊之时，有妖祥之桑树与谷树，二物相合生于朝中，一夜之间，就长得大如合抱，中宗见其怪异，心中恐惧，以问其臣伊陟。伊陟说道："这桑谷本在野之物，不宜生于朝。今合生于朝，又一夜即大如拱，诚为妖异。然妖不胜德，今朝中生这妖物，或君之政事有缺失欤？君但当修德以胜之，则妖自息矣。"中宗于是听伊陟之言，修祖宗的政事，明养老的礼节，早朝勤政，日晏才退，百姓们有疾苦问之，有丧者吊之。太戊有这等德政，果然妖物不能胜。三日之间，那桑与谷自然枯死；三年之后，远方外国的人，慕其德义，经过几重通事[6]译语来朝他的，有七十六国。商道前此中衰，至此而复兴焉。夫妖不自作，必有所召。然德在当修，亦岂待妖？观太戊之祥桑自枯，益信妖不足以胜德，而为人君者，不可一日不修德也。

【注释】

①本篇出于《史记·殷本纪》，又见刘向《说苑·君道》。祥桑：妖桑，有凶兆的桑树。本文记述了太戊以修德行而使祥桑自灭的故事。

②谷：楮(chǔ)树，即构树，叶似桑。

③太戊：商朝君主之一。太甲孙。死后追谥为中宗。

④伊陟：伊尹之子。太戊时继父为相。

⑤重译：经过多重翻译。

⑥通事：口语翻译。

【译文】

商史中记载：太戊在位时，有一棵怪异的桑树和谷树合生在朝堂上，一夜之间长到两手合抱那样大，太戊感到恐惧。伊陟说："我听说，妖怪不能战胜德行。君王您的政令，大概有什么失误的地方吧？"太戊于是勤修先王的德政，彰明供养老人的礼教，早上朝，晚退朝，百姓们有病他去慰问，有丧事他去哀悼。这样做了三日之后，祥桑枯死；三年之后，远方及国外的人，通过多重翻译，前来归顺商朝的竟多达七十六国，商朝的统治得以再度兴盛起来。

梦赉良弼[①]

商史纪：高宗[②]恭默[③]思道，梦帝赉(lài)良弼(bì)，乃以形旁求于天下。说(yuè)[④]筑傅岩[⑤]之野，惟肖，爰(yuán)立作相。命之曰："朝夕纳诲，以辅台德。启乃心，沃朕心。"说总百官，佐成商家中兴之业。

【解】商史上记：商高宗初即帝位，在谅暗[⑥]之时，恭默不言，想那治天下的道理，于是至诚感动天地。一日梦见上帝赐他一个忠臣辅佐他，醒来就把梦中所见的人，使人画影图形，遍地里去访求。至于傅岩之野，见一个人叫做傅说，在那里筑墙，却与画上的人一般模样。召来与他讲论治道，果然是个贤人，于是就用他做宰相。命他说："你朝夕在我左右，进纳善言，以辅我之德。当开露你的心，不可隐讳，灌溉我的心，使有生发。"傅说既承高宗之命，统领百官，劝高宗从谏、好学、法祖、宪天。高宗能用其言，遂为商家中兴之主。详见《尚书·说命》三篇。

【注释】

①本篇出于《尚书·商书·说命》，又见于《史记·殷本纪》。赉：赏赐。弼：辅佐。记述商高宗从"梦中"寻得辅佐贤臣的故事。

②高宗：即武丁，商朝君主之一，因其曾使商晚期一度"中兴"，被追谥

为高宗。

③恭默：恭谨沉默。

④说：人名。后以地赐姓傅，史称傅说。曾是筑板的奴隶，被武丁提拔为相，佐武丁“中兴”，成为古代“贤臣”。

⑤傅岩：地名。故址在今山西省平陆县东。

⑥谅暗：在服丧期间。

【译文】

商代史书上记载：高宗即位之后，恭谨沉默不语，苦苦思索中兴商朝的办法。一天夜里，梦见天帝赏赐给他一位好的辅佐大臣，于是醒后让人根据记忆画成图像，按图像到各地去寻找这个人。这时傅说正在傅岩郊外筑墙，由于他非常像图画上的人，于是高宗就提拔他做了宰相，对他说：“你早晚在我身边进纳善言，辅助我增进德行。开启你的心，并以之来滋润我的心。”傅说统领朝中百官，辅佐高宗成就了中兴商朝的帝业。

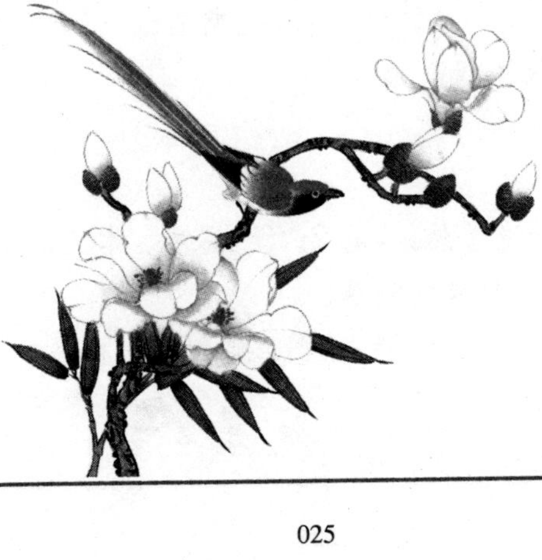

泽及枯骨[①]

周史纪：文王[②]尝行于野，见枯骨，命吏瘗(yì)[③]之。吏曰："此无主矣。"王曰："有天下者，天下之主；有一国者，一国之主。吾固其主矣。"葬之。天下闻之，曰："西伯之泽及于枯骨，况于人乎？"

【解】周史上记：文王初为西伯时，一日出行于郊野之外，见死人的枯骨暴露于外，因吩咐吏人以土瘗埋之。吏人对说："这枯骨都是年久死绝的人，已无主了。"文王说道："天子有天下，就是天下的主；诸侯有一国，就是一国的主。今此枯骨，我就是他的主了。何忍视其暴露而不为掩藏之乎？"乃葬而掩之。时天下之人，闻文王行这等阴德[④]，都说道："西伯的恩泽，虽无知之枯骨亦且沾及，况有生之人乎？"夫文王发政施仁，不惟泽被于生民，而且周及于枯骨。所谓"为人君，止于仁"者，此类是也，岂非有天下者之所当取法哉？

【注释】

①本文出于《资治通鉴外纪》卷2。泽：恩惠。本文记述了周文王推行仁德而能推广到枯骨的故事。

②文王：即周文王。姬(jī)姓，名昌。商纣王时被封为西伯，即西部诸侯(方国)之长。

③瘗：埋葬。
④阴德：在暗中施德于人。

【译文】

周代史书上记载：周文王曾经去郊外，看到死人的枯骨暴露在荒野，他命令随行官吏把枯骨掩埋好。随行的官吏说："这都是无主之人的枯骨。"周文王说："拥有天下的人，就是天下的主人；拥有一国的人，就是一国的主人。我本来就是这些死者的哀主。"于是便把枯骨埋葬了。天下的人听到这件事，都说："西伯的恩泽既然能推及到无主的枯骨，更何况对于活着的人呢？"

丹书受戒[①]

周史纪：武王[②]召师尚父而问曰："恶有藏之约，行之行，万世可以为子孙常者乎？"师尚父[③]曰："在《丹书》。王欲闻之，则斋矣。"三日，王端冕(miǎn)[④]，下堂南面[⑤]而立。师尚父曰："先王之道不北面。"王遂东面立，师尚父西面道书之言，曰："'敬胜怠者，昌；怠胜敬者，亡；义胜欲者，从；欲胜义者，凶。'藏之约，行之利，可以为子孙常者，此言之谓也。"王闻之而书于席、几(jī)、鉴、盥(guàn)、盘、楹(yíng)、杖、带、履(lǚ)、觞(shāng)、豆、户、牖(yǒu)、剑、弓、矛，皆为铭[⑥]焉。

【解】周史上记：武王即位之初，向老臣师尚父问说："凡前人创造基业，将使后人世世守之也，而能世守者甚少。不知有什么道理，藏之简约，行之顺利，而可以为万世子孙常守者乎？"师尚父对曰："有一卷书，叫做《丹书》，这个道理皆在其中。王欲闻之，必须重其事，斋戒而后可。"武王于是斋戒了三日，端正冠冕，不敢上坐，下堂南面而立，致敬尽礼，求受《丹书》。师尚父说："南面是君位，北面是臣位。王南面而立，则《丹书》当北面而授，先王之道至大，岂可北面而授受乎？"王遂东面而立，不敢居君位。

师尚父西面而立，亦不居臣位，乃述《丹书》中的言语，说道："'凡为君者，敬畏胜怠忽，国必兴昌；怠忽胜敬畏，国必灭亡；公义胜私欲，事必顺从；私欲胜公义，事必逆凶。'这个道理，只要在'敬'、'公'二字上做功夫，藏之何等简约，行之何等顺利，可以为子孙万世常守者，不外乎此矣。"武王敬而信之，遂融化[7]这四句的意思，于是凡那席上、几上、镜子上、洗面盆上、殿柱上、杖上、带履上、觞豆上、门窗上、剑弓矛枪上，一一作为铭词，不但自家随处接目警心[8]，要使子孙看见，也都世守而不忘焉。夫武王是个圣君，能屈尊[9]老臣受戒，作为铭词，传之后世。周家历年八百，享国最为长久，非以其能守此道也哉！

【注释】

①本篇事出戴德《大戴礼·武王践祚》。丹书：古代统治者托言天命，捏造的所谓天书。因用丹笔书写，故称《丹书》。记述周武王屈尊从师尚父以《丹书》受教的故事。

②武王：即周武王。周文王子，名发。承文王业绩而灭商建周王朝。

③师尚父：即姜尚，史又称姜子牙、姜太公。冠以"师"、"父"表尊敬。

④冕：古代天子、诸侯、卿大夫所戴的礼帽。后专指帝王的礼帽。

⑤南面：面朝南。古代以面南为天子位，面北为臣位或失败而称臣。

⑥铭：在器物上铸或刻写的文字，表功德或示纪念，或用以警示。

⑦融化：理解，融会贯通。

⑧接目警心：眼睛看到之后，便对内心起到警诫作用。

⑨屈尊：降低身份。

【译文】

周代史书上记载：周武王让人找来姜尚，向他问道："有什么方式能使治国之道藏起来简便，做起来容易，能永远为子孙遵守吗？"姜尚回答说："这种方式载在《丹书》之中。大王您要是想倾听，就请大王您先沐浴斋戒吧。"三天后，周武王端庄地戴着皇冠走下大堂，面朝南站立等待受教。姜尚说："先王传下的治国道理，不能面朝北对着大王。"于是周武王面朝东站立，姜尚面向西站立，诵读《丹书》里面的言语，说："'恭敬胜过懈怠的人，事业就能昌盛；懈怠胜过恭敬的人，事业就会衰亡；公义胜过私欲的人，事业就能顺利；私欲胜过公义的人，事业就要受到挫折。'这即是藏之简便，做起来容易，能让子孙万世遵守的有效方式。"周武王听后，把这几句话书写在席、几、鉴、盥、盘、楹、杖、带、履、觞、豆、户、牖、剑、弓、矛之上，全都作为座右铭，用以自警自励。

感谏勤政[1]

周史纪：姜后[2]贤而有德。王尝早卧而晏起，后乃脱簪(zān)珥(ěr)，待罪于永巷[3]，使其傅母通言于王曰："妾不才，致使君王失礼而晏朝，敢请罪。"王曰："寡人不德，实自生过，非夫人之罪也。"遂勤于政事，早朝晏退，继文武之迹，成中兴之业，为周世宗。

【解】周史上记：周宣王的后姜氏，贤而有德。宣王尝有时睡得太早，起得太迟，姜后恐他误了政事，要劝谏他，乃先自贬损，脱去头上的簪环，待罪于宫中长街上，使其保母传言于王，说道："我无德，不能以礼事王，致使王耽于女色，溺于安逸，失早朝之礼，这是我的罪过，请王加我以罪。"王因此感悟说："这是我自家怠惰，有此过失，非夫人之罪也(古时称后妃都叫做夫人)。"自此以后，宣王遂勤于政事，每日早起视朝，与群臣讲求治道，至晏方退。其致治之迹，足以上继他祖文王武王，虽其父厉王[4]时，势渐衰弱，至此复能中兴。因宣王有这等功业，所以周家的庙号[5]称他为世宗。古者后妃夫人进御侍寝，皆有节度，每至昧旦[6]，女史[7]奏《鸡鸣》之诗，则夫人鸣佩玉于房中，起而告退，以礼自防，不淫于色，故能内销逸欲，以成其君勤政之美。《鸡鸣》之诗云："虫飞薨(hōng)薨，甘与子同梦。会且归矣，无庶予子憎。"⑧言日将旦而百虫飞作，我岂不乐与子同寝而梦哉？但群臣候朝已久，君若不出，彼将散而归矣。岂不以我之故而使人并憎恶于子乎？姜后之进谏，古礼也。宣王中兴周业，盖得之内助⑨为多。

【注释】

①本篇事出《资治通鉴外纪》卷3。记述了周宣王因受姜后感化而勤政的故事。

②姜后：周宣王的正妻。周宣王：周朝君主之一，周厉王之子，名静。因曾使西周后期一度"中兴"，被追谥为世宗。

③永巷：长巷，深巷，宫中后妃居住的地方。

④厉王：周朝君主之一，名胡。因任用好专利的荣夷公为执政卿士而被国人逐出京城，逃往彘(zhì)(今山西霍县)，死在霍县。

⑤庙号：古代帝王死后，在太庙立室奉祀，并追尊以某祖、某宗的名号，称为庙号。

⑥昧旦：天将要亮的时候。

⑦女史：女官名。掌管王后礼仪，佐内治，为内官。

⑧意为：屋外昆虫薨薨鸣唱，我愿意同您一起共度美好时光。现在回去了，不要因我而使您遭到群臣的怨恨。

⑨内助：旧时指妻子，谓能在家里相助。

【译文】

周代史书上记载：姜皇后贤惠而又有妇德。周宣王曾有一段时间早睡晚起，姜皇后见此便摘下簪珥，在永巷等待被治罪，同时让她的傅母向周宣王说："妾身没有才德，导致君王您改变早期之礼而晚上朝听政，敢望您给予我惩罚。"周宣王听到这话后，内心立即醒悟过来，说："我没有按君德要求行事，确实是我自身所为而产生过错，不是夫人的罪过。"于是周宣王从此勤勉于国家政事，早上朝，晚退朝，继承周文王周武王的业绩，成就了西周的中兴帝业，因而被追谥为世宗。

入关约法[①]

汉史纪：高祖[②]初为沛公[③]，入关，召诸县父老豪杰，谓曰："父老苦秦苛法久矣，'诽谤者族[④]；偶语[⑤]者弃市[⑥]。'吾当王(wàng)关中，与父老约，法三章耳：杀人者死，伤人及盗抵罪[⑦]。余悉除去秦苛法。"又使人与秦吏行县乡邑(yì)告谕之。秦民大喜，争持牛羊酒食献享军士，惟恐沛公不为秦王。

【解】西汉史上记：高帝初起兵伐秦，那时犹号为沛公，既破了崤(xiáo)关，到咸阳[⑧]地方，因呼各县里年高的父老，与那有本事的豪杰，都到面前慰劳之，说道："秦君无道，法令烦苛，你百姓每被害久矣，'但凡言时政的，他就说人诽谤，加以灭族之罪；两人做一处说话的，他就说人有所谋为，加以弃市之刑。'其暴虐如此。众诸侯有约：先入关破秦者，王之。今我先入关，当王关中，与你百姓们做主。今日就与父老相约，我的法度，只有三条：惟是杀了人的，才着他偿命，若打伤人及为偷盗的，只各坐以应得的罪名，不加以死。此外一切苛法，都革去不用。"又恐远处不能尽知，使人同着秦吏，遍行到各县乡邑中，将这意思都一一晓谕。那时百姓每被秦家害得苦了，一旦闻这言语，如拔之于水火之中，莫不欢喜踊跃，争持牛羊酒食，犒(kào)享沛公的军士，只恐怕沛公不做秦王。此可见抚(fǔ)之则后汉之所以兴也，虐之则仇秦之所以亡也。有天下者，当以宽仁为贵矣。

【注释】

①本篇事出《史记·高祖本纪》。关：即函谷关(今河南灵宝东北王垛村)，因关在谷中，深险如函而得名。其范围东自崤山，西至潼津，通名函谷关。约法：以法律相约束。本文记述汉高祖入关后即与秦民达成三条约法的故事。

②高祖：即汉高祖刘邦(前259—前195)，名季，沛县(今江苏沛县西)丰邑(今江苏丰县)中阳里人。秦时曾做过泗水亭长。他是西汉王朝的创立者，公元前206—前195年在位，追谥尊号高皇帝。

③沛公：沛县令。楚人称县令为公，故名。

④族：为秦苛法之一，即一人犯罪，刑及父母妻子。

⑤偶语：相聚在一起议论。

⑥弃市：刑法名。在闹市执行死刑，并将尸体暴露街头示众，表示为人所弃，故名弃市。

⑦抵罪：抵赏其应负的罪责。

⑧咸阳：秦都城(今陕西咸阳东北)。

【译文】

汉代史书中记载：汉高祖刘邦当初曾做过沛公，带兵进入崤关占领秦都咸阳后，召集各县的父老豪杰，对他们说："父老们受秦朝苛法的痛苦已经很久了，'批评朝政的要灭族，相聚在一起议论的要弃市'。按当年与诸路起义将领的盟约，我应当做关中王。我与父老们约定三条法律：杀人者处以死刑，伤人者及偷窃者治以应得的罪。除此之外，统统废除秦朝的苛法。”他又派人同秦朝的官吏一同巡行各县城镇乡村，把“约法三章”及废除秦朝苛法的事告知老百姓。秦朝的老百姓得知之后，非常高兴，争抢着拿牛羊酒食奉献给刘邦的军士，只怕刘邦不在秦地称王。

任用三杰[1]

汉史纪：高帝置酒洛阳[2]南宫，曰："通侯[3]诸将，试言吾所以有天下者何？项氏之所以失天下者何？"高起、王陵[4]对曰："陛下使人攻城略地，因以与之，与天下同其利；项羽[5]妒贤嫉能，战胜而不与人功，得地而不与人利，此其所以失天下也。"上曰："公知其一，未知其二。夫运筹帷(wéi)幄(wò)之中，决胜千里之外，吾不如子房[6]；镇国家，抚百姓，给(jǐ)馈(kuì)饷(xiǎng)不绝，吾不如萧何[7]；连百万之众，战必胜，攻必取，吾不如韩信[8]。三者皆人杰，吾能用之，此所以取天下者也。项羽有一范增[9]而不能用，此所以为我擒也。"群臣悦服。

【解】西汉史上记：高帝既定天下，置酒宴群臣于洛阳之南宫，因问群臣说："尔通侯诸将等，试说我所以得天下者何故？项羽所以失天下者何故？"高起、王陵二人齐对说："陛下使人攻打城池，略取土地，既得了，就封那有功之人，与天下同其利，因此人人尽力战争，以图功赏，此陛下之所以得天下也；项羽则不然，妒贤嫉能，虽战胜而不录人之功，虽得地而不与人同利，因此人人怨之，不肯替他出力，此项羽之所以失天下也。"高帝说："公等但知其一，未知其二。夫运筹策、定计谋于帷幄之中，而决胜于千里之外，这事我不如张子房；镇守国家，抚安百姓，供给军饷，不至乏绝，这事我不如萧何；统百万之兵，以战则必胜，以攻则必取，这事我不如韩信。张子房、萧何、韩信三人，都是人中的豪杰，我能一一信用他，得此三人之助，此所以取天下者也。项羽只有一个谋臣范增，而每事猜疑，不能信用，是无一人之助矣，此所以终被我擒获者也。"群臣闻高帝之说，无不欣悦敬服。夫用人者恒有余，自用者恒不足。汉高祖之在当时，若论勇猛善战，地广兵强，不及项羽远甚，而终能胜之者，但以其能用人故耳。故智者为之谋，勇者尽其力，而天下归功焉。汉高祖自谓不如其臣，所以能驾驭一时之雄杰也。

【注释】

①本篇事出《史记·高祖本纪》，并见于《汉书·高帝纪》。记述了刘邦善用人才的故事。

②洛阳：我国古都之一。故址（汉时）在今洛阳市白马寺东洛水北岸。

③通侯：为秦汉时二十等爵制中最高一级。

④高起、王陵：《史记会注考证》等认为高起是衍文。王陵：沛县人，从高祖起兵，以功封安国侯，官至右丞相。

⑤项羽：名籍（前232—前202），秦时下相人。从其叔父项梁起兵反秦，项梁死后，自立为西楚霸王。后与刘邦争战失利，至乌江垓（gāi）下（今安徽灵璧东南沱河北岸）自刎。

⑥子房：即张良（？—前186），字子房。韩国人，汉高祖主要谋臣，以功封留侯。

⑦萧何：沛县人（？—前193）。从汉高祖，曾力荐韩信为大将；后守关中，负责粮饷，以功第一而被封为酂（zàn）侯，官至丞相。

⑧韩信（？—前196）：淮阴（今淮阴西南）人。初属项羽，后归刘邦，被任为大将，助刘邦灭项羽。被刘邦封为齐王，后降为淮阴侯，最后被刘邦妻吕后设计所杀。

⑨范增（前277—前204）：秦末居鄛（cháo）（今安徽巢湖亚父乡，一说安徽桐城练谭）人。项羽主要谋士，尊为亚父。屡劝项羽杀刘邦，项羽不听。后中刘邦反间计，项羽削其权力，愤然出走，途中病死。

【译文】

汉代史书中记载：汉高祖刘邦在洛阳南宫摆设酒宴，说：“列侯和各位将领，请试谈，我之所以能够得到天下的缘故？项羽之所以失去天下的缘故？”高起、王陵一起回答说：“陛下派人攻打城池，夺取后就把城池土地分了，同天下的人共同享受利益；而项羽却妒贤嫉能，他的将领打了胜仗，却不能论功行赏，夺取到土地也不给人家好处，这就是他失去天下的原因。”汉高祖刘邦说：“你们只知其一，不知其二。要说运筹于帷幄之中，决胜于千里之外，我不如张子房；镇守国家、安抚百姓、供应粮饷、使运输线路畅通无阻，我不如萧何；统帅百万大军，战而必胜，攻而必克，我不如韩信。这三个人都是杰出的人才，然而我却能够信任他们，这才是我之所以得天下的原因所在。项羽只有一个范增，还不能放心信任，这就是他最终被我打败的原因所在。”群臣听后都心悦诚服。

过鲁祀圣[1]

汉史纪：高帝击淮南王黥(qíng)布[2]，还过鲁，以太牢[3]祀孔子。

【解】西汉史上记：汉高帝因淮南王黥布谋反，自领兵征之，擒了黥布，得胜回还。经过山东曲阜县，乃旧鲁国，是孔子所生的地方，有孔子的坟墓，高帝具太牢牲礼，亲拜祭之(祭祀的牛呼做太牢)。夫孔子虽是大圣，其官不过鲁国的大夫，自孔子殁后，战国之君，皆不知尊信其道，及秦始皇又焚(fén)烧其书。高帝以天子之尊，方用兵征伐之际，就知崇儒重道，且用太牢，与社稷[4]宗庙[5]的祭礼一样，后世人君尊敬孔子，实自高帝始。其好尚正大如此，宜其为一代创业之君也。

【注释】

①本篇事出《汉书·高帝纪》。记述了汉高祖刘邦以帝王身份首次祭孔的故事。

②黥布：即英布(？—前195)。六县(今安徽六安北)人。因犯法受黥刑故称黥布。先属项羽，后归刘邦，封为淮南王。汉初举兵反刘邦，兵败逃往江南，被长沙王(吴芮之子成王臣)诱杀。

③太牢：盛牲的食器叫牢，大的称太牢。太牢盛三牲，因而也把宴会或祭祀时并用牛、羊、豕(shǐ)三牲叫做太牢。

三九
漢高帝

過魯祀聖

④社稷：社指土神；稷指谷神。后两者合用成为国家的代称。
⑤宗庙：天子、诸侯祭祀祖先的处所。

【译文】

汉代史书中记载：汉高祖刘邦带兵讨伐淮南王黥布，凯旋之时，经过鲁国，用太牢之礼祭祀了孔子。

却千里马[1]

汉史记：文帝时[2]，有献千里马者。帝曰："鸾(luán)旗[3]在前，属车[4]在后；吉行[5]五十里；师行[6]三十里。朕乘千里马，独先安之？"下诏不受。

【解】西汉史上记：文帝时，有人进一匹马，一日能行千里。文帝说道："天子行幸，有鸾旗导引于前，有属车拥护于后；或巡狩而吉行，一日不过五十里而止；或征伐而师行，一日不过三十里而止。朕骑着这千里马，独自个先往何处去？"于是下诏拒而不受，还着那进马的人牵回去了。夫千里马是良马也，文帝以为非天子所宜用，尚且不受，况其他珠玉宝贝、珍禽奇兽、不切于人生日用者，又岂足以动其心乎？《书》曰："不作无益害有益，功乃成；不贵异物贱用物，民乃足。"[7]正文帝之谓也。

【注释】

①本文事出《汉书·贾捐之传》。记述汉文帝拒收千里马的故事。

②文帝：即汉文帝(前202—前157)，名恒，汉高祖子，公元前180—前157年在位。

③鸾旗：天子仪仗中的旗子。上绣鸾鸟，故称。

④属车：皇帝的侍从车子。

⑤吉行:指有关喜庆一类的外出,如巡狩等。
⑥师行:军队出征时队伍的行进。
⑦见《尚书·周书·旅獒(áo)》。意为:不做无益的事损害有益的事,事业就能成功;不因看重珍奇异物而轻视日常使用的物品,百姓才能富足。

【译文】

汉代史书上记载:汉文帝在位之时,有人向他进献了一匹千里马。汉文帝说:“我出宫殿时有仪仗在前面导引,有属车在后面簇拥;巡幸地方,每天行进五十里;进行征战,军队每天行进三十里。我骑着这千里马,独自一人跑在前面要往哪里去?”于是下诏,拒绝接受这匹千里马。

止辇受言[1]

汉史纪：文帝每朝，郎[2]、从官[3]上书疏[4]，未尝不止辇受其言。言不可用，置之；可用，采之；未尝不称善。

【解】西汉史上记：文帝每出视朝，但有郎、从等官上书陈言者，虽正遇行路之时，亦必驻了辇，听受其言。纵使所言没有道理不可用，但置之不行而已，亦不加谴责；如其言有益于生民，有补于治道，则必亟(jí)加采择，次第行之；又每每称道其所言之善，盖不但采取之而已。尝闻人君之德，莫贵于听言。自秦禁偶语，天下以言为讳(huì)[5]矣，是以底[6]于灭亡而不悟也。观文帝之虚怀听纳如此，虽大舜之明目达聪、成汤之从谏弗咈(fú)[7]，亦何让焉！

【注释】

①本文事出《史记・袁盎晁错列传》。记述汉文帝虚心纳谏的故事。辇：古时用人拉的车，后多指皇帝坐的车。

②郎：官名。秦汉时负责宫廷宿卫，隶属于郎中令，为近侍之官。

③从官：皇帝的侍从官员。

④书疏：上书、奏疏、信札之类。

⑤讳：避忌，有顾忌不敢说或不愿说。

⑥底：尽头，终极。

⑦咈：违背，抵触。

【译文】

汉代史书中记载：汉文帝每次临朝听政，遇有郎、从官一类人在途中上奏书疏，不曾有过不停下车来听取他们的奏言。那疏言不能选用的，就先放在一边留待以后参考；所说可采用的，就采纳实行；从来没有人不称道赞许他的。

纳谏赐金[①]

汉史纪：文帝从霸陵[②]上欲西驰下峻阪(bǎn)，中郎将[③]袁盎(àng)[④]骑并车，揽辔(pèi)。上曰："将军怯耶？"盎曰："臣闻圣主不乘危，不侥幸。今陛下骋六飞[⑤]驰下峻阪，有如马惊车败，陛下纵自轻，奈高庙[⑥]、太后[⑦]何？"上乃止。又从幸上林，奏却慎夫人坐。上说，赐盎金五十斤。

【解】西汉史上记：文帝到霸陵上面，过西边，欲驰车下高峻的坡阪，有随驾的中郎将，姓袁名盎，骑着马傍车而行，急忙挽住了车辔，不肯驰骤。文帝说："将军莫非胆气怯耶？何乃惧怕如此？"袁盎说："臣闻明圣之主，不肯乘垂危之地，凡有举动，必要万全，不图侥幸而免，知此身所系甚重也。今陛下驾六马之车，驰骋而下峻阪，就是无事，亦乘危幸免耳。倘或一时马惊车败，卒有不测之变，悔将何及？陛下纵然自轻其身，其如高祖之付托、太后之属望何？"帝听其言，停车不下。后袁盎又随文帝往上林，帝有个宠爱的慎夫人，与皇后同席而坐，袁盎以为非礼，奏使慎夫人退却。文帝喜其屡进忠言，赐他金五十斤。夫人臣进谏，只要其君免于危险，无有过失，非图赏也。今文帝既听其言，又加重赏如此，盖深知其言之有益，且欲以劝他人之直言耳。从善之意，何其切哉！

【注释】

①本文事出《史记·袁盎晁错列传》。记述了汉文帝虚心纳谏并重赏谏臣的故事。

②霸陵：秦时本芷(zhǐ)阳县，汉文帝九年(前171)于此筑霸陵，并改县名。在今陕西西安东北。汉文帝葬于此。

③中郎将：武官名。负责官廷宿卫及皇帝出行随侍护卫，属郎中令。

④袁盎：西汉大臣。字丝，楚人。

⑤六飞：这里指六匹快跑的马。

⑥高庙：汉高帝庙。

⑦太后：指其母薄太后。

【译文】

汉代史书上记载：汉文帝从霸陵上想向西飞驰下陡峻的斜坡，中郎将袁盎骑马在车旁随行，他抓住了马缰绳。汉文帝说："将军胆怯了吗？"袁盎回答说："我听说圣明的君主不上险境，不图侥幸。现在陛下乘六匹快马奔驰飞跑下这样陡峻的斜坡，一旦马受惊车毁坏，后果不堪设想。陛下即使自我轻身，又怎么对得起高祖及太后？"汉文帝于是停止了这种鲁莽行为。后来袁盎又随从汉文帝巡幸上林苑，上奏使慎夫人退却，勿与皇后同坐。汉文帝很高兴，赏赐给他黄金五十斤。

不用利口[①]

汉史纪：文帝登虎圈[②]，问上林尉[③]诸禽兽簿，尉不能对。虎圈啬（sè）夫[④]从旁代尉对甚悉。帝诏张释之[⑤]："拜啬夫为上林令。"释之曰："周勃[⑥]、张相如[⑦]称长者，两人言事曾不出口，岂效此啬夫喋喋[⑧]利口捷给哉？今以啬夫口辩而超迁之，恐天下随风而靡，争为口辩而无实也。"帝曰："善！"

【解】西汉史上记：文帝一日游幸上林苑，登养虎的虎圈，因问上林苑管簿籍的官说："这苑中各样的禽兽，有多少数目？"这官人一时答应不来。有个管虎圈的啬夫，在旁边替那官人一一答应，甚是详悉。文帝喜他，遂诏侍臣张释之说："这啬夫有才能，可就着他做上林苑令。"释之对说："如今朝中如周勃、张相如，这两个人是有德的长者，能任朝廷大事，然其言事皆说不出口。盖有德的人，自然器宇深沉，言语简当，岂学这啬夫喋喋然用快利之口、便捷以辩给哉？今若因啬夫口辩，就超迁他，恐天下闻此风声而靡然仿效，都只学舌辩能言，不务诚实，则风俗薄而人心漓矣。"文帝以张释之所言当理，遂止，不用啬夫。观此一事，则用人者不当，但取其言。而文帝从谏之善，亦于此可见矣。宜其为汉朝一代之贤君也欤。

【注释】

①本文事出《史记·张释之冯唐列传》。记述了汉文帝从谏而行、避免以言任人的故事。利口：能言善辩。

②圈(juàn)：关禽兽的场所。

③上林尉：上林苑中管理事务的官员。上林苑：秦始皇所建，是专供皇帝射猎的地方。在今陕西西安市西及户县、东至县境、北至渭水、南达终南山，周围二百余里。

④虎圈啬夫：掌管虎圈的下级小吏。

⑤张释之：字季，堵阳(今河南方城)人。官至廷尉。廷尉是掌管刑狱的最高长官。

⑥周勃(？—前169)：沛县(今江苏沛县)人。从刘邦起事，以功封建绛(jiàng)侯；吕后(刘邦妻)时为太尉(主管军事的长官)；文帝时为右丞相。

⑦张相如：从刘邦起事，以功封东阳侯；文帝时为大将军和太子太傅。

⑧喋喋：说话没完没了。

【译文】

汉代史书中记载：汉文帝登上虎圈，问上林尉有多少种禽兽，上林尉不能回答。虎圈啬夫从旁边代替上林尉回答得非常详细。于是汉文帝命令张释之："任命虎圈啬夫做上林令。"张释之回答说："周勃、张相如是有德行的长者，这两个人做事勤谨，但言事时却说不出口，怎么能效法这个啬夫，只知喋喋不休、巧言善辩呢？现在因为这个啬夫能言善辩就破格任命他，恐怕天下的人随风而倒，都将效法他，争着做能言善辩而不务实际的人了。"文帝说："回答得好！"

露台惜费[1]

汉史纪：文帝尝欲作露台，召匠计之，值百金。上曰："百金，中人[2]十家之产也。吾奉先帝宫室，常恐羞之，何以台为？"

【解】西汉史上记：文帝尝欲在骊(lí)山[3]上造一露顶高台，使工匠计算所费几何，工匠计算说："该用百金。"文帝说："百金之资产，若以民间中等的人家计之，可够十户人家的产业。今筑一个台，就破费了十家的产业，岂不可惜！且我承继着先帝的宫室，不为不广，常恐自己无德，玷辱了先帝，又岂可糜费民财，而为此无益之工作乎？"于是停止露台之工，不复兴造。夫文帝富有四海，况当承平无事之时，财用有余，然百金之微，犹且爱惜，不肯轻费如此，虽尧舜之土阶，大禹之卑宫，何以过之哉！大抵人主爱民之心重，则自奉之念轻。夫以一台之工，遂至费百姓十家之产，若如秦皇之阿(ē)房(páng)[4]、骊山，宋徽[5]之龙江[6]、艮(gèn)岳[7]，其所费又不知其几千万家矣。

穷万民之财，以供一己之欲，一旦民穷盗起，社稷丘墟(xū)，虽有台池鸟兽，岂能独乐哉？后世人主，诚当以汉文帝为法，毋以小小营建为费少，而遂恣意为之也。

【注释】

①本文事出《史记·孝文本纪》。记述了汉文帝因惜民财而停建露台的故事。露台：露天高台。

②中人：生活、产业、收入中等的民户。

③骊山：当时的皇家外宫所在地。在今陕西临潼(tóng)东南。

④阿房：即阿房宫。秦始皇建。工程浩大，极为壮丽。后为项羽焚毁。故址在今陕西西安西阿房村(俗名郿邬岭)。

⑤宋徽：即宋徽宗(1082—1135)，名赵佶(jí)。北宋皇帝，公元1100—1125年在位。

⑥龙江：这里指与“艮岳”配套的园林水利工程。

⑦艮岳：宋徽宗政和七年(1117)在东京汴梁(今河南开封)景龙山侧筑的土山，周围十余里，分东西二峰，最高峰90尺。因在都城的艮方(东北方)，故名艮岳。

【译文】

汉代史书上记载：汉文帝曾经想要造一座露台。他召集工匠们计算工程费用，大约需要一百斤黄金。汉文帝说：“一百斤黄金，是中等民户十家的产业所值。我承继着先帝的宫室，经常害怕自己无德行而辱没了先帝的英灵，还修露台干什么呢！”

遣幸谢相[1]

汉史纪：文帝以申徒嘉为丞相，时邓通[2]爱幸无比。嘉尝入朝，通居上旁怠慢，嘉曰："陛下爱幸群臣，即富贵之。至于朝廷之礼，不可不肃。"罢朝，嘉坐府中，为檄（xí）[3]召通，不来，且斩通。通恐，入言上。上曰："汝第往。"通诣丞相，免冠、徒跣（xiǎn），顿首谢。嘉责曰："通小臣戏殿上，大不敬[4]，当斩。"语令吏斩之。通顿首出血，不解。上使使持节召通，而谢丞相，嘉乃解。通还见上，流涕曰："丞相几杀臣。"

【解】西汉史上记：文帝以申徒嘉为丞相，嘉为人正直，文帝甚重之。此时有个郎官叫做邓通，得幸于文帝，宠爱无比。嘉尝入朝，见邓通在文帝旁边，狎（xiá）恃（shì）恩宠，有怠慢之状，嘉即奏说："陛下爱幸群臣，只好赏赐他财物，使之富贵足矣。至于朝廷上的礼仪，则不可不严肃。"及罢朝，回坐于丞相府中，写文书去提邓通，说道："他若抗拒不来，便当处斩。"邓通恐惧，求救于文帝。文帝知丞相所执者是朝廷之礼，邓通委的有罪，就着他去见丞相。通到了府中，取了冠，跣足，顿首谢罪。申徒嘉责他说："朝廷乃礼法所在，你一个小臣敢狎戏于殿上，犯了大不敬，论罪当斩。"因使吏拿出斩之。通叩头谢罪，至于出血，嘉怒犹不解。文帝料邓通已在丞相处陪话知罪了，乃使人持节召通，而致谢丞相，申徒嘉乃遣之。邓通回去，到文帝面前流涕说道："丞相几乎杀了臣。"夫文帝宠幸邓通，致敢于怠慢，其始固不能无过。然申徒嘉正言直论，而帝略不偏护，即遣令就罪，使大臣得申其法，而嬖幸不敢狎恩。非圣君而能若是哉？

【注释】

①本文事出《汉书·申徒嘉传》。记述了汉文帝悔过而向丞相道歉的故事。

②邓通：西汉蜀郡南安（今四川乐山）人。先为黄头郎，得文帝宠，官至上大夫。前后赏赐无数。景帝即位后，免其官，不久家财散尽，寄食人家，穷困而死。

③檄：古代官方文书用的木简，长一尺二寸，多用做征召、晓谕、申讨等用。若有急事，则插上羽毛，称羽檄。后世泛指这类官方文书为檄。

④大不敬：对皇帝不敬，古代十恶不赦罪之一。

【译文】

汉代史书上记载：汉文帝任命申徒嘉为丞相，当时邓通正受到汉文帝的异常宠幸，无人能与之匹敌。一次申徒嘉入朝拜见皇帝，邓通在文帝身旁态度很不恭敬。申徒嘉奏说："陛下宠幸群臣，可以使他们富贵，但是关系到朝廷的礼仪，则不可以不严肃。"朝见结束，申徒嘉回来坐在相府中处理政务，发出传檄召唤邓通到相府来，如果不来，就把他斩首。邓通非常害怕，入宫告诉文帝。文帝说："你只管先去。"邓通到了相府见申徒嘉，他摘下帽子，光着脚跪在地上叩头谢罪，申徒嘉指责说："你邓通不过是一名职位低微的臣子，竟胆敢在大殿上随随便便，这是不恭敬皇帝的罪行，按律应当斩首。"传令将邓通拿下斩首。邓通吓得连连叩头，磕破额头、血流不止，也不停下。正在这时，文帝派人拿着符节前来召邓通进宫，并向丞相致以歉意。申徒嘉的怒气才算消散。邓通回去见到文帝，泪流满面地说："丞相差点儿杀了臣下。"

屈尊劳将[①]

汉史纪：文帝时，匈奴[②]大入边。使刘礼[③]屯霸上，徐厉[④]屯棘(jí)门[⑤]，周亚夫[⑥]屯细柳[⑦]，以备胡。上自劳军细柳。先驱至，不得入。曰："天子且至。"军门都尉[⑧]曰："军中闻将军令，不闻天子诏。"上乃使使持节诏将军："吾欲入营劳军。"亚夫乃传言开壁门。壁门[⑨]军士曰："将军约，军中不得驰驱。"于是天子乃按辔徐行。至中营，亚夫持兵揖(yī)，曰："介胄(zhòu)之士不拜，请以军礼见。"天子为动，改容式[⑩]车，使人称谢："皇帝敬劳将军。"成礼而去。既出军门，群臣皆惊。文帝曰："嗟(jiē)乎！此真将军矣！向者霸上、棘门如儿戏耳，其将固可袭而虏也。至于亚夫，可得而犯邪！"称善者久之。

【解】西汉史上记：文帝时，北匈奴入边为寇。帝拜刘礼、徐厉、周亚夫三人俱为将军，各领兵出京，分布防守。刘礼屯于霸上，徐厉屯于棘门，亚夫屯于细柳。文帝亲自到各营抚劳将士。初到霸上，棘门二营，车驾径入，没些阻挡。末后往细柳营。导驾的前队已到营门，被军士阻住不得入。与他说："圣驾就到，可速开营门。"那军门都尉对说："我军中只知有将军的号令，不知有天子的诏旨。"

少间，文帝的驾到了，还不开门。文帝乃使人持节召亚夫说："朕要进营劳军。"亚夫才传令开营门接驾。临进门时，守门军士又奏说："将军有令：军中不许驰驱走马。"文帝乃按住车辔，徐徐而行。到中军营，亚夫出迎，手执着兵器，只鞠躬作揖，说道："甲胄在身，不敢跪拜，臣请以军礼参见。"文帝听说，悚（sǒng）然改容，俯身式车，使人传旨致谢亚夫，说："皇帝敬劳将军。"成礼而去。文帝出营门，叹美亚夫说道："这才是真正的将军！恰才见霸上、棘门二营，那样疏略，如儿戏一般。万一有乘虚劫营之事，其将固可掩袭而掳也。至如亚夫这等纪律，可得而轻犯邪！"尝考古者人君命将，亲推其毂（gǔ）[11]，授之以钺（yuè）[12]，曰："阃（kǔn）[13]以外，将军主之，不从中制也。"盖将权不重，则军令不严，士不用命，故穰（ráng）苴[14]戮齐王之嬖臣，孙武[15]斩吴王之宠姬，而后能使其众，以成大功。观周亚夫之纪律严明，诚为一时名将，然非文帝之圣明，重其权而优其礼，则亚夫将求免罪过之不暇，况望其能折冲而御侮哉！后世人君御将，宜以文帝为法。

【注释】

①本文事出《汉书·周勃传附子亚夫》。记述汉文帝降低身份去细柳营慰劳周亚夫及其军士的故事。

②匈奴：我国古代北方民族之一，也称胡、猃（xiǎn）狁（yǔn）、山戎（róng）。秦汉时称为匈奴。

③刘礼：汉文帝时将军。
④徐厉：汉文帝时将军。
⑤棘门：古地名。原为秦宫门。在今陕西咸阳东北。
⑥周亚夫（？—前143）：西汉名将，周勃之子。初封条侯，文帝时为将军，景帝时任太尉，并平定吴楚七国之乱，后迁为丞相。
⑦细柳：古地名。故址在今陕西咸阳西南。
⑧军门都尉：负责把守军营门的下级军官。
⑨壁门：军营门。
⑩式：通"轼"，车前横木。式车即手扶车前横木，古时立乘，以此表示恭敬。
⑪毂：车轮的中心部分，可以插轴，引申为车。推毂，比喻助人成事。
⑫钺：古代兵器。青铜或铁制成，形状像板斧而较大。这里是以之作为权力象征。
⑬阃：门槛。引申为宫廷。阃外，指统兵在外。
⑭穰苴：即司马穰苴，春秋时名将。齐景公时为将军，军纪严明。
⑮孙武：春秋时著名军事家。以兵法见吴王阖（hé）庐，曾用吴王宫女演习阵法，为严明军纪而杀掉吴王宠姬。著有《孙子》一书，为中国古代著名军事著作之一。

【译文】

汉代史书中记载：汉文帝在位时，匈奴大举入侵边塞。文帝派刘礼带兵驻扎在霸上，徐厉带兵驻扎在棘门，周亚夫带兵驻扎在细柳，用以防备匈奴的侵犯。文帝亲自到细柳去慰劳屯守将士。前导人员来到细柳军营门，不得进入军营。前导人员说：“天子要到这里来了。”军门都尉回答说：“军队之中只听将军的命令，不听从天子的诏令。”文帝乃派使者拿着符节昭告周亚夫说：“我要进入军营慰劳将士。”亚夫才传下命令，打开营门。把守营门的士兵说：“将军有军令规定，军营中不允许纵马疾行。”于是文帝下令扣紧马缰绳慢慢向前行进。到了营中，亚夫手持兵器，对文帝拱手行礼，说：“戎装在身的武士不施叩拜礼，请允许我用军礼相见。”文帝见此状，立即改变态度，端庄地手扶车轼，派人传旨致谢亚夫，说：“皇帝敬劳将军。”按礼仪慰劳军队之后，就离开了军营。文帝出了营门，叹亚夫说：“啊！这才是真正的将军！此前霸上、棘门的防务，有如儿戏一般，驻守在那里的将领就可能被偷袭或被俘获。至于周亚夫，又怎能会被偷袭侵犯呢！”(他)夸赞了周亚夫好长一段时间。

蒲轮征贤[1]

汉史纪：武帝[2]雅向儒术，以赵绾（wǎn）[3]为御史大夫[4]、王臧（zāng）[5]为郎中令[6]。二人荐其师申公[7]。上使使者奉安车[8]蒲轮、束帛[9]加璧迎之。既至，以为太中大夫[10]，舍鲁邸。上问以治道，对曰："为治不在多言，顾力行何如耳。"

【解】西汉史上记：武帝素喜好儒者的学术，因举用当时名儒，以赵绾为御史大夫、王臧为郎中令。赵绾、王臧又荐举他老师申公，说他的学问更高。武帝闻说，即遣使去征聘他。又闻申公年老，恐其途中受劳，因驾一辆安车去迎接申公；又用蒲草裹了车轮，使其行路软活，坐的自在；又用币帛一束，另加玉璧，以为聘礼。申公感武帝这等尽礼，遂随聘到京。武帝授以太中大夫之职，安置在鲁王府里居住。问他治天下的道理何如？申公对说："为治也不在多言，只是着实行将去便好。”盖议论多，则心智惑。与其托之空言，不若见诸行事之为有益也。夫天下之治乱，系贤人之去留，是以古之明君，以屈己下贤为盛事，而亲枉万乘，以尽礼于衡门[11]韦布[12]之贱者，往往有之。汉兴以来，虽不逮古，而武帝此举，犹庶几古人之意。至申公力行一言，则又治天下之要道也。

【注释】

①本文事出《史记·儒林列传》。记述了汉武帝征聘贤人、重视儒家学说的故事。

②武帝：即汉武帝（前 156—前 87）。名彻，汉景帝子。公元前 140—前 87 年在位。

③赵绾：武帝时任御史大夫；因请立明堂事，得罪窦太后，下狱自杀。

④御史大夫：官名。秦置。其位仅次于丞相。主管弹劾、纠察及图书秘籍。与丞相、太尉合称三公。

⑤王臧：汉武帝时为郎中令。与赵绾同为当时著名儒者。

⑥郎中令：官名。秦置。主管宫廷宿卫。

⑦申公：姓申名培，鲁（今山东曲阜一带）人。今文《诗》学中“鲁诗学”的开创者。文帝时为博士。

⑧安车：用一马拉的可以坐乘的小车。古车立乘，此为坐乘，故称安车。用于高官告老或征召有名望之人。

⑨束帛：古代聘问的礼物。五匹为一束；帛是丝织品。

⑩太中大夫：官名。主掌议论。

⑪衡门：横木为门，喻简陋的房屋。衡通“横”。

⑫韦布：韦带布衣。古时指未仕者或平民的粗陋衣服。韦是熟治的皮革。

【译文】

汉代史书上记载：汉武帝非常向往儒家学说，任命赵绾做御史大夫、王臧做郎中令。二人推荐他们的老师申公。于是武帝派使者用安车蒲轮，以束帛加璧作为聘请的礼物，去迎接申公。申公到京城后，武帝任命他做太中大夫，让他居住在鲁王的官邸里。武帝向申公询问治理国家的道理，申公回答说："治理国家政事不在于多说话，在于尽力去实行罢了。"

明辨诈书[①]

汉史纪：昭帝[②]时，盖长公主[③]、左将军[④]上官桀[⑤]及其子安及桑弘(hóng)羊[⑥]等，诈令人为燕王旦上书，言大将军霍光[⑦]擅调益幕府[⑧]校尉，专权自恣。书奏帝，留中[⑨]。明旦，光闻之，不入。有诏召大将军，光入，免冠顿首。上曰："将军冠。朕知是书诈也。将军调校尉未十日，燕王何以知之？"是时，帝年十四。尚书[⑩]左右皆惊，而上书者果亡。后桀党有谮(zèn)光者，上怒曰："大将军忠臣，先帝所属以辅朕身，敢有毁者，坐之！"桀等乃不敢复言。

【解】西汉史上记：昭帝年幼登极，大将军霍光受遗诏辅政。那时盖长公主、左将军上官桀与其子上官安及桑弘羊等，各以私恨霍光，而燕王旦以帝兄不得立为天子，亦怀怨恨。于是上官桀等，欺昭帝年小，设谋要排陷霍光，教人假充做燕王的人，上本劾奏霍光。说他擅自更调幕府校尉，加添人数，专权自恣，图谋不轨。昭帝览奏，留中不下。霍光闻之，待罪于外，不敢入朝。帝使人召光入，光见帝，取了冠帽，叩头伏罪。昭帝说："将军戴起冠。朕知这本是假的。将军调校尉还未满十日，燕王离京数千里，他怎么便就得知？可见是诈。"那时，昭帝年才十四岁。

左右之人，见帝这等明察，莫不相顾惊骇，那上书的人，果然涉虚逃走。以后上官桀的党类，又有谮毁霍光者，昭帝即发怒说："大将军是个忠臣，先帝因朕年幼，托他辅朕，再有言者，即坐以重罪！"自是桀等惧怕，不敢复言。而霍光辅相昭帝，竟为贤主。若使上官桀等之谗得行，则霍光之祸固不待言，而汉家宗社亦危矣！于戏！托孤寄命⑪，岂易事哉？

【注释】

①本文事出《汉书·燕刺王刘旦·霍志传》。记述了汉昭帝识破奸佞谗陷霍光的故事。诈：伪装，欺骗。

②昭帝：即汉昭帝（前94—前74）。名弗陵。公元前87—前74年在位。

③长公主：即帝王的姐妹。这里指汉武帝的姐姐鄂（è）邑公主。

④左将军：官名。位次于将军。

⑤上官桀：曾与霍光同受武帝命辅幼主，但因欲谋废昭帝、立燕王旦，事泄后被诛族，燕王刘旦自杀。

⑥桑弘羊（前152—前80）：洛阳（今河南洛阳东）人。武帝时任治粟都尉。领大司农。后与霍光同受命辅昭帝，任御史大夫。因与霍光争权，失败被杀。

⑦霍光（？—前68）：字子孟，河东平阳（今山西临汾西南）人。武帝时任奉车都尉，后受遗诏辅昭帝，为大将军。后又拥立宣帝。前后主政二十年。

⑧幕府：将帅在外的营帐。这里指军事指挥机构。

⑨留中：君主把臣下送来的奏章，留在禁中，不批示、不交议。

⑩尚书：官名。秦置，掌殿内文书，群臣奏章都经他手，位低而权重。

⑪托孤寄命：指皇帝临终前将幼小的继承人托付给亲信大臣。

【译文】

汉代史书上记载：汉昭帝在位时，因长公主、左将军上官桀和他的儿子上官安以及桑弘羊等人相互结党，令一个人假装燕王旦的身份与口气，向昭帝上奏书，说大将军霍光擅自增调幕府校尉，是大权独揽、为所欲为的行为。奏书呈献给昭帝后，昭帝没有批示，留中不发。第二天天亮，霍光听到了这件事，不去进朝议事。随之有皇帝诏书召令大将军进宫。霍光进入朝堂，脱下官冕向昭帝叩头。昭帝说："将军请戴上帽子。我已经知道这封奏书是诈伪的。将军调动校尉之事还不到十天，燕王旦怎么会知道这件事？"那时，昭帝才十四岁。尚书及昭帝左右的人都很震惊，而那个上奏书的人，果然逃跑了。此后上官桀等有诬陷霍光者。昭帝大怒说："大将军是忠诚之臣，先帝嘱托让他辅佐我。再有人敢于进行诽谤，严加惩处。"上官桀等人于是不敢造谣生事了。

褒奖守令[①]

汉史纪：宣帝[②]时，极重守令。尝以为太守吏民[③]之本，数变易则下不安。民知其将久，不可欺罔，乃服从其教化。故二千石[④]有治理效，辄(zhé)以玺(xǐ)书勉励，增秩赐金，或爵至关内侯[⑤]。公卿缺，则选诸所表，以次用之。是故汉世良吏于是为盛，称中兴焉。

【解】西汉史上记：宣帝选用官员，极重那知府知县两样官。尝说道："各府太守，最是亲民之官，第一要紧。若是到任不久，就转迁去，百姓便不得蒙其恩惠，且迎新送旧，徒见劳扰。必须做得年久，然后民情土俗、百姓甘苦，他都知道，施些恩惠，行些政事，也都晓得头脑；那百姓也欺哄不得，自然顺从他的教化。"所以宣帝时做守相，食二千石俸(fèng)的，都要久任。若是历任未久，就有功劳，也只降敕(chì)书奖励，或就彼加升官级，或赏赐金帛，或赐以关内侯的爵级，仍照旧管事。到做的年岁深了，遇三公九卿有缺，即把向前旌表的好太守不次擢用，如黄霸[⑥]以颍(yǐng)川太守入为太子太傅，赵广汉[⑦]以颍川太守入为京兆尹。宣帝之留心守令如此，所以那时做官的，人人勤勉，好官甚多，而天下太平，中兴之美，后世鲜及焉。夫官惟久任，则上下相安，既便于民；

日久超擢，则官不淹滞，亦便于官。此用人保民之善法也。后来科目太繁，额数日增；升转之期，计日可俟；席不暇暖，辄已他迁。视其官如传(zhuàn)舍[8]，视百姓如路人而已，其何以治天下哉？

【注释】

①本文事出《汉书·宣帝纪》及《循吏传》。记述了汉宣帝表彰重用守令的故事。守令：指地方长官。守指太守，令指县令。

②宣帝：即汉宣帝(前91—前49)。本名刘病已，字次卿，即位后改名询。为大将军霍光所立，公元前74—前49年在位。

③吏民：治理民众，统治老百姓。

④二千石：汉代官员以食俸定等级，朝中九卿、郎校和地方守、尉，均为二千石。中二千石，月得谷一百八十斛。

⑤关内侯：二十等爵制中仅次于彻侯的爵位。

⑥黄霸(？—前51)：字次公，淮阳阳夏(今河南太康)人。宣帝时历任扬州刺史、颍川太守、御史大夫、丞相等职，封建成侯。为当时"循吏"代表之一。

⑦赵广汉(？—前65)：涿郡蠡吾(今河北博野西南)人。宣帝时任颍川太守。曾诛杀豪强原氏、褚氏等。迁京兆尹。

⑧传舍：旅馆。

【译文】

汉代史书上记载：汉宣帝在位时，极为重视太守和县令。宣帝认为太守是治理民众的根本。如果多次调换，老百姓便会产生不安。如果民众知道他将在这里久任，就不敢欺骗他，就会服从他所实施的政教风化。所以当太守等地方官有显著的治民政绩时,就用加盖皇帝印章的御书加以鼓励,增加他的俸禄品级,并赐给金钱或增爵至关内侯,但仍照旧管理原地政事。遇到朝廷三公九卿有缺位时,就选拔那些得到褒奖的人,按次加以任用。因此,汉朝历史上好的地方官众多,被称之为"中兴"。

诏儒讲经[①]

汉史纪：宣帝时，诏诸儒讲“五经”[②]同异，萧望之[③]等平奏其议，上亲称制[④]临决焉。乃立梁丘[⑤]《易》、大小夏侯[⑥]《尚书》、谷梁[⑦]《春秋》博士[⑧]。

【解】西汉史上记：宣帝好文，见得“五经”所言，都是修身治天下的大道理。自经秦人烧毁一番，到今表彰之后，虽已渐次寻出，但诸儒传授互有异同，不得归一；而诸家传注[⑨]，亦且各以为是，无一定之说。因此诏诸儒臣讲究“五经”异同，如经文有不同的，便要见谁是真传、谁是错误；传注有不同的，便要见某人说的与经旨相合、某人说的与经旨相悖(bèi)。又命萧望之等评论他们讲究的谁是谁非，奏闻于上，上亲称制临决，而裁决其可否。这“五经”中，定以先儒梁丘贺传授的《易经》、夏侯胜、夏侯建传授的《尚书》、谷梁俶(chù)传授的《春秋》为真当。于是将这三经各立博士之官，着他教习弟子，以广其传。其《诗》、《礼》二经，盖先已有定论，故不述也。自宣帝以来，“五经”如日中天[⑩]，传之万世，为治天下者之准则，其功亦大矣。

【注释】

①本文事出《汉书·宣帝纪》。记述了汉宣帝诏儒讨论修定儒家经传的故事。

②“五经”：儒家整理流传下来的五种古代经典，即《诗》、《书》、《礼》、《易》、《春秋》五本书。

③萧望之（？—前47）：西汉时儒者。宣帝时任太子太傅。甘露三年（前51）主持石渠阁会议，评议诸儒对“五经”同异的意见。

④称制：行使皇帝权力。

⑤梁丘：名贺，字长翁。西汉经学家，主治《易经》。官至少府。

⑥大小夏侯：即夏侯胜与夏侯建。胜字长公，建字长卿。二人是叔伯兄弟。皆为当时著名经学家，以治《尚书》闻世。皆为博士官，官至太子太傅。

⑦谷梁：名赤，又一名俶。战国经学家，主治《春秋》经。

⑧博士：六国时置，秦汉相承，都是教授官。

⑨传注：解释古籍的文字。传是相承的师说；注是本人的意见。

⑩如日中天：好像太阳升到正中。比喻事物正发展到最兴盛的时候。中天：天空之中，指中午。

【译文】

汉代史书上记载：汉宣帝在位时，下诏令各派儒者讲论“五经”的同异，让萧望之等人公允评论，然后将情况上奏给汉宣帝，宣帝再以皇帝权力进行裁决。于是在朝廷中设立传授《易经》的梁丘贺、传授《尚书》的夏侯胜和夏侯建、传授《春秋》的谷梁俶等博士。

葺槛旌直[①]

汉史纪：成帝[②]时，张禹[③]党护王氏。故槐里[④]令朱云上书求见，公卿在前，云曰："臣愿赐尚方斩马剑[⑤]，断佞臣一人头，以励其余。"上问："谁也？"对曰："安昌侯张禹。"上大怒曰："小臣廷辱师傅，罪死不赦。"御史将云下，云攀殿槛，槛折。云呼曰："臣得从龙逄[⑥]、比干[⑦]游于地下足矣！未知圣朝何如耳？"左将军辛庆忌[⑧]免冠叩头力救，上意解，得已。及后当治槛，上曰："勿易，因而葺之，以旌直臣。"

【解】西汉史上记：成帝时，外戚王氏专权乱政。安昌侯张禹，原授成帝经，成帝以师礼待之。禹为人有经学，但其性柔佞，又年老，要保全名位，因见王氏威权盛，遂党护之，其误国不忠之罪大矣。那时有原任槐里县令朱云，为人刚直，恶张禹如此，乃上书求见天子言事。公卿都侍立在前，朱云上前直说："愿赐尚方斩马剑与臣，斩一个佞臣的头，以儆其余。"成帝问："佞臣是谁？"朱云对说："是安昌侯张禹。"成帝大怒说："小臣敢当大廷中辱我师傅，其罪该死，不可赦宥（yòu）。"御史遂拿朱云下殿去，朱云攀扯殿前栏杆，死不肯放，御史拿急，遂将栏杆扯断了。朱云乃大呼说："昔桀杀关龙逄、纣杀王子比干，臣今以直谏被戳，得从二臣游于地下，为忠义之鬼，其愿足矣。但惜圣朝为奸佞所误，不知后来变故何如耳？”朝班中有左将军辛庆忌，取去冠帽叩头说：“此臣素称狂直，宜赐优容[9]。”于是成帝怒解，朱云才得免死。到后来修理栏杆，成帝说：“此栏杆不必改换新的，只把这折处葺补，留个遗迹，使人知道是朱云所折，以旌表直言之臣。”夫国家不幸有奸臣弄权，邪佞小人又从而阿附之，相与壅蔽人主之聪明，所赖忠义之士，发愤直言，以阴折其气而消其党，苟加之罪，则天下莫敢复忤(wǔ)权奸，而人主益孤立于上矣。成帝既悟朱云之直，遂宥其死，且留槛以旌之，盖亦有见于此，可谓有人君之度者，故史臣记而称之。

【注释】

①本文事出《汉书·朱云传》。记述汉成帝旌表敢于直谏犯上的朱云的故事。葺：修理。槛：栏杆。旌：表彰。

②成帝：即汉成帝(前51—前7)。名骜(áo)。在位时间为公元前32—前6年。

③张禹：字子文。河平(前28—前24)中曾任丞相。封安昌侯。

④槐里：古县名。在今陕西兴平东南。

⑤尚方斩马剑：尚方剑为皇帝用的剑，因其锋利可斩马，故名。

⑥龙逢：即关龙逢。夏桀时的一位大夫。他敢于直言诤谏，被桀杀死。

⑦比干：商纣王的叔父。官至少师。纣淫虐无度，国势危殆，他以死力谏，纣恼羞成怒，将他杀死，并剖腹取心。

⑧辛庆忌：字子真。曾任张掖(yè)、酒泉两地太守，后迁左将军；居处

俭敬，为当时名臣。
⑨优容：宽容。

【译文】

汉代史书中记载：汉成帝在位时，张禹阿附庇护外戚王氏集团。曾任槐里县令的朱云，上书求见成帝，当时公卿等众大臣都在跟前，朱云对成帝说："希望陛下能赏赐我一把尚方斩马剑，斩杀一名谄谀奸佞大臣的人头，以惩戒其余的奸佞。"成帝问朱云："这个人是谁？"朱云回答说："这个人就是安昌侯张禹。"成帝听后大怒说："官职低微的小臣竟敢在朝廷上侮辱我的师傅，该当死罪，不可宽赦。"御史把朱云拉下朝廷。朱云用手死死抓住宫殿上的栏杆不放，致使栏杆折断。他大声呼喊说："我能够跟随关龙逢、比干漫游于九泉之下，心愿已满足了。然而，不知圣明的朝廷今后会怎么样呢？"左将军辛庆忌脱冕跪地向成帝叩头，极力解救朱云，成帝怒气渐渐缓解，这件事才算平息。到后来修理栏杆时，成帝说："不要换新的，在此基础上修理一下，用它做个纪念标志，以表彰那些耿介直言的朝臣。"

宾礼故人[①]

汉史纪：光武少与严光[②]同学，及即位，思其贤，令以物色访之。有一男子披羊裘钓齐泽中，帝疑其光，乃备安车玄纁(xūn)[③]，遣使聘之，三反而后至。车驾即日幸其馆，光卧不起，帝抚光腹曰："咄咄(duō)子陵，不可相助为理也？"光张目熟视曰："昔唐尧著德，巢父[④]洗耳，士故有志，何至相迫乎！"帝叹息而去。复引光入，论旧故，相对累日。因共偃卧，光以足加帝腹，明日太史奏，客星犯帝座[⑤]甚急，帝笑曰："朕与故人严子陵共卧尔。"

【解】东汉史上记，光武少时曾与处士[⑥]严光同学读书，到后来光武即帝位，严光逃匿不肯见，光武思念他贤，使人按他的模样去各处访求。闻说有一男子披着羊裘钓鱼于齐国之泽中，光武知是严光，乃备安车及玄纁币帛遣使者聘请之，三次往返，然后肯来。到京师，光武车驾即日亲到他下处看他，严光睡着不起，光武直到他床前，以手抚摩其腹，称他的字说："咄咄子陵，不可扶助我为治耶？"严光张目看着光武说道："古时唐尧为天子著德于天下，隐士巢父独临水洗耳，不闻世事，尧也相容，不逼他做官，士人各有志愿，我既不愿出仕[⑦]，何苦相逼迫乎。"光武知其不可屈，叹息而去。又复引严光入禁中[8]，与他论说往年故旧之情，相对累日，因与他共睡，严光不觉以足加在光武腹上，其忘分如此。明日灵台官[9]奏说，昨夜有一客星犯帝座星甚急，光武笑说："这非干变异，乃朕与故人严子陵共睡耳。"光武既帝天下，则严光乃草野中之一民耳，光武只为他是贤士，又是故人，遂加三聘之礼，亲屈万乘之尊，任其张目疾言而不以为傲，容其加足于腹而不以为侮，殷勤款曲，不复知有崇卑之分，此其盛德含容为何如哉！所以先儒说光武之量，包乎天地之外，非过美矣。后来东汉二百年[10]，人心风俗皆以节义相高。是光武之尊贤下士，有以感发而兴起之也。

【注释】

①本文出于《后汉书·逸民列传·严光传》。记述东汉光武刘秀即帝位后访求故人严光，严光拒不受官的故事。

②严光：字子陵，东汉会稽余姚人(今浙江余姚)。少年时即有贤名，曾与刘秀同学，刘秀即帝位后隐名不见，后刘秀派人寻访而得，授谏议大夫，光坚辞不官，归耕于浙江富春山。

③玄纁：黑色币帛，古代帝王常用以作为聘请贤士的礼物。

④巢父：传说为唐尧时隐士，在树上筑巢而居。亦称许由，尧曾要把帝位让给他，他不愿意听，跑到颍水边去洗耳朵。

⑤客星犯帝座：客星、帝座星，均系天文学上的星名。中国古代以帝座星象征皇帝。客星犯帝座是指皇帝的位置受到了侵犯。

⑥处士：古代称不做官的读书人为处士。

⑦出仕：仕是官，出仕即去做官。

⑧禁中：古代称皇帝居住的地方为禁中。因禁止除官廷侍卫和官阶很高的大臣以外的人员入内而称禁中。

⑨灵台官：观测天象之官。汉代灵台为观测天象之所。

⑩东汉二百年：东汉政权从光武刘秀建武元年(25)到汉献帝二十五年(220)，共约二百年。

【译文】

汉代史书上记载：光武帝年少时曾与严光同学，做皇帝后思念严光之贤，便派人按照他的相貌到各处进行查访。有一个男子披着羊皮袄在齐国泽中钓鱼，光武怀疑就是严光，便准备了安车和布帛礼物，派人去请他，使者往返了三次他才来。光武当天即乘车到馆舍看望，严光睡着不起来，光武用手摸着他的肚子，大声说："子陵啊！你不能帮助我治理天下吗？"严光睁大了眼睛看着光武很久，说："古时唐尧很有德行，巢父因不愿意听尧要让位于他的话而去洗耳朵，士人本来各有志愿，何必这样强迫呢？"光武叹息而去。后又召严光到皇宫去，叙说往日故旧之情，一连数日。由于共同仰卧睡觉，严光把脚放在了光武的肚子上。第二天，太史官上奏说，有客星侵犯了帝座星的位置。光武帝笑着说："是我与老朋友共同睡觉呢。"

拒关赐布[①]

汉史纪：光武尝出猎，车驾夜还，上东门候郅恽(zhì yùn)[②]拒关不开。上令从者见面于门间，恽曰："火明辽远。"遂不受诏。上乃回，从东中门[③]入。明日，恽上书谏曰："陛下远猎山林，夜以继昼，如社稷宗庙何？"书奏，赐恽布百匹，贬东中门候为参封[④]尉。

【解】东汉史上记：光武皇帝一日曾出去打猎，偶至夜深方回，那时城门已闭，光武至上东门，有个守门官姓郅名恽，闭门不开，不放车进驾入。光武道他不认得，着左右随从的人，见面于门间，使他识认。郅恽对说："这等夜深，火光辽远，怎么辨得真伪。"终不开门。光武不得已，转从东中门进入回宫。至次日早，郅恽又上书谏说："陛下以万乘之尊，远猎山林，昼日不足，以夜继之，陛下纵自轻，其如社稷宗庙付托之重何，臣诚未见其可也。"书奏，光武深嘉其言，赐布百匹，反将中东门的门官降为参封县尉，以其启闭不严故贬之。盖皇城门禁最宜严谨，深夜启闭，疑有非常。况天子以万乘之尊，出入尤当戒备，故郅恽之闭关不纳，他岂不认的是光武，盖欲因此以示儆(jǐng)[⑤]耳。光武是创业之主，素谨周身之防，故于郅恽，不惟不罪，且加赏焉。若如后世寻常之见，

则中东门侯必以顺意蒙赏，而郅恽必以忤（wǔ）旨[⑥]
见罪矣。

【注释】

①本文出于《后汉书·郅恽传》。叙述光武出猎夜归，门侯郅恽拒不开门，上书谏议，得到赏赐的故事。

②郅恽：字君章，东汉汝南西平（今河南西平）人，曾客居江夏（今湖北武昌）教授，郡举孝廉，为洛阳上东门门侯，后官至长沙太守。

③东汉时，洛阳城凡十二门，每门门侯一人，秩六百石。上东门乃洛阳东城北边门也，东中门乃洛阳东城中间门也。

④参封：县名，在今山东省。

⑤儆：使人警悟。

⑥忤旨：违反皇帝的命令。

【译文】

汉代史书上记载：光武帝曾经出去打猎，深夜乘车而还，到洛阳上东门，门侯郅恽拒不开门。光武命令侍从去到门中间见面，郅恽说："夜晚火光辽远，看不清。"不接受命令。光武帝只得走开，转而从东中门进城。第二天，郅恽上书说："皇上远去山林打猎，昼夜不停，把国家祖先置于何地？"书奏之后，光武帝赏赐给郅恽布一百匹。降东中门侯为参封县尉。

夜分讲经[1]

汉史纪：光武数引公卿郎将[2]，讲论经理[3]，夜分乃寐。皇太子见帝勤劳不怠，乘间谏曰："陛下有禹汤之明，而失黄老[4]养性之福，愿颐养精神，优游自宁。"帝曰："我自乐此，不为疲也。"

【解】东汉史上记：光武皇帝退朝之后，常常引公卿及郎将之有经学者，与之讲论经书中的义理，至于夜半，方去歇息。皇太子见帝讲论劳苦，恐过用了精神，乘空进谏说："陛下励精图治，固有大禹成汤之明，而形神[5]过劳，昧于黄帝老子养性之福，愿颐养爱恤此身之精神，使常优游自宁，不可过于劳役。"光武说："经书中义趣深长，我只见得这件事可乐，故常与群臣讲论，不为疲倦也。"盖治天下之道，具于经书，而天下之可乐，莫如务学。光武虽以征伐中兴，然非讲明治道，则虽有天下，未易守也。惟光武有见于此，而急于讲求，故能身致太平，而遗东汉二百年之业，其得于经理之助多矣。

【注释】

①本文出于《后汉书·光武帝纪》。叙述光武刘秀勤于读书，与大臣讨论经史彻至夜半而不知疲倦的故事。

②公卿郎将：泛指朝廷一些高级官吏与将军。

③经理：经书中的道理、常理、治理。

④黄老：黄帝与老子。道家思想以黄帝与老子为始祖，凡事主张顺其自然、无为而治。其道教尤主张保养身体、延长寿命与长生不老。

⑤形神：人的形体与精神。

【译文】

汉代史书上记载：光武帝多次领公卿郎将讲论经书中的道理，直到夜半才去休息。皇太子看见皇帝勤劳不知疲倦，便乘机劝谏说："陛下有大禹和商汤的明断，却不懂得黄帝和老子修身养性的福分，希望您保育元气，悠闲自得。"皇帝说："我正是以此为乐，不会疲倦的。"

赏强项令[①]

汉史纪：光武时董宣[②]为洛阳令，湖阳公主[③]苍头[④]杀人，匿主家。及主出，以奴骖(cān)乘[⑤]，宣驻车叩马，以刀画地，大言数主之失，叱奴下车，格杀之。主还诉帝，帝大怒召宣，欲箠(chuí)[⑥]之，宣叩头曰："陛下圣德中兴，而纵奴杀人，将何以治天下乎？臣不须箠，请自杀。"即以头击楹(yīng)。帝令人持之，使宣叩头谢主，宣不从，强使顿之，宣两手据地，终不肯俯。帝敕强项[⑦]令出，赐钱三十万，京师莫不震慄。

【解】东汉史上记：光武时，有姓董名宣者，做在京洛阳县令，帝姊湖阳公主有家人白日杀人，藏躲在公主家里，官府拿他不得。一日公主出行，此奴在公主车上，董宣于路拦着公主的车，叩着马不放过去，以刀画地，大言数说公主的过失，喝奴下车，亲手击杀之。公主即时还宫，告诉光武，光武大怒，拿得董宣来要打杀他，宣叩头说："陛下圣德中兴，当以法度治天下，若纵奴杀人，不使偿命，是无法度也。家奴犯法尚不能治，将何以治天下乎？臣不须箠杖，请自杀便了。"即以头撞柱，光武见他说得有理，令人持定他，不要他撞柱，只着他与公主叩头谢罪就饶他，宣不肯从，光武强使人将头按下，宣只两手撑定，强直

八十三
漢光武
湖陽公主

赏强项令

了项，终不肯叩头。光武见他耿直，反因此喜他，传旨着这强项令且出，又赐钱三十万以奖励之。于是京师内外，莫不震慄，无敢倚恃豪强，以犯法者。书曰："世禄之家，鲜克由礼。"[8]岂其性与人殊哉！良以习见富势之为尊，不知国法之可畏。而奴仆庄佃之人，倚强使势，生事害人，亦有其主不及知者，若不因事裁抑，示以至公，使之知儆，至于骄盈纵肆，身陷刑宪[9]，则朝廷虽欲从宽，亦不可得矣。光武之嘉赏董宣，意盖以此。故终光武明章之世[10]，贵戚妃主之家，皆知守礼奉法，保其禄位，岂非以贻谋[11]之善哉！

【注释】

①本文出于《后汉书·董宣传》。叙述洛阳令董宣不畏豪强，击杀湖阳公主杀人豪奴的故事。因光武帝曾命董宣向公主赔罪，董宣以理拒不抵头，故谓之强项令。

②董宣：字少平，东汉陈留圉人(今河南杞县圉镇)。曾官北海相和江夏太守，后为洛阳令。

③湖阳公主：名黄，光武帝刘秀的姐姐，建武二年(26)封为湖阳公主。

④苍头：奴仆。汉代仆隶以深青色布包头，故称苍头。

⑤骖乘：古代达官贵人乘车外出时，陪乘之人。

⑥箠：鞭打；击。

⑦强项：性格刚强、硬着脖子不肯低头的人。

⑧见《书经·毕命》篇，意为：世代官宦人家，很少能够遵循礼法。

⑨刑宪：刑罚与法令。

⑩明章之世：指光武之后汉明帝刘庄和汉章帝刘炟统治时期(58—87)。

⑪贻谋：遗留下来的谋略。

【译文】

汉代史书上记载：光武时董宣任洛阳令，湖阳公主的奴仆杀了人，藏在公主家里。一次公主外出时，还让这个奴仆陪坐在车上，董宣拦着车挡住马，用刀在地上画，大声数说公主的过失，喝命奴仆下车，亲手杀了他。公主回去告诉了皇帝，皇帝大怒，召董宣来，要鞭打他，董宣叩头说："陛下大德，中兴汉室，却放纵奴仆杀人，这样怎么能治理天下呢？臣不需鞭打，请允自杀。"当即用头去撞厅前的柱子。皇帝令人拉住他，命令董宣向公主赔罪，董宣不服从，皇帝强使人按着头，董宣两手撑地，始终不肯低头。皇帝命令这硬脖子的县令出去，赐给他三十万钱。京城内外没有不恐惧害怕的。

临雍拜老[①]

汉史纪：明帝幸辟雍[②]，初行养老礼[③]。以李躬[④]为三老，桓荣[⑤]为五更[⑥]。礼毕，引桓荣及弟子升堂，上自为辩说，诸儒执经问难于前，冠带搢绅[⑦]之人，圜(huán)桥门而观听者，盖亿万计。

【解】东汉史上记：明帝初登极时，幸辟雍，行古养老之礼。辟雍即是今之国子监，古来养老，有三老五更名色。三老是年高有德的，五更是更历世事的，明帝举行古礼，以其贤臣李躬为三老，以其师傅桓荣为五更。行礼既毕，乃引桓荣等及辟雍中的生徒弟子，进入堂上，亲与他讲解经义。诸弟子亦手执经书，向帝坐前，问所疑难。其时冠带搢绅之人，罗列在辟雍桥门外，观礼听讲者，有亿万多人，其崇尚教化，而感动人心如此。

【注释】

①本文出于《后汉书·显宗孝明帝纪》，并见《资治通鉴》卷44，汉纪三十六。记述永平二年(59)，汉明帝刘庄到太学行养老礼、礼贤下士共同讨论经书的故事。汉明帝，光武帝第四子，宠妃阴丽华所生。

②辟雍：本为周代为贵族子弟所设的大学之一，在汉代即为在京师的太学。

③养老礼：古代对老而贤者按时享以酒食，表示尊敬之意，谓之养老

礼。汉制养三老五更于辟雍,郡县则行乡饮酒于学校。

④李躬:永平中拜为三老,以二千石禄养终身。

⑤桓荣:东汉沛郡龙亢(今安徽怀远西)人,光武时为太学博士、太常,辅导太子刘庄读书。明帝即位后拜为五更。

⑥三老五更:古代为年老德高致仕之人设立的称号。选三公之老者为三老,卿大夫中之老者为五更。汉代太学设有三老五更,向天下表示敬老孝悌之意。

⑦冠带搢绅:泛指官吏与士大夫。冠带,指帽子和腰带;搢绅,古代大官吏插笏于腰间。

【译文】

汉代史书上记载:明帝亲到太学,第一次举行养老礼,封李躬为三老,桓荣为五更。行礼完毕,便领桓荣和学生们到厅堂上去。明帝自己分析讲说,儒生们手拿经书,向明帝问所疑难,官绅和士大夫环绕在太学桥门外,观看听讲者,成千上万。

爱惜郎官[1]

汉史纪：明帝时，馆陶公主[2]为子求郎，帝不许，而赐钱千万。谓群臣曰："郎官上应列宿[3]，出宰百里，苟非其人，民受其殃，是以难之。"

【解】东汉史上记：明帝的姊馆陶公主，在明帝上乞恩，要将他的儿子除授[4]郎官，明帝不许，以公主的份上，不好直拒，乃赏赐他铜钱一千万，以见厚他的意思。公主退后，明帝向群臣说："天上有个郎位星，可见这郎官之职，上应列宿，出去为宰，管着百里地方，责任非轻，岂是容易做的，必得其人，方可授之，若错用了一个不才的人，叫那百姓们都受他的害，岂我为民父母之意哉！今公主之子，贤否未知，我所以不肯容易许之也。"夫朝廷设官分职，本以为民，不是可以做人情滥与人的。明帝于馆陶公主之子，宁可以千万钱赐之，以益其富，不肯轻授一职以遗害于民，诚得圣王重官爵惜名器[5]之意，史称当时吏称其官，民安其业，有由然哉！

【注释】

①此篇出自《后汉书·显宗孝明帝纪》。记述馆陶公主向汉明帝为子求一郎官，汉明帝宁肯赐钱千万而坚不与官。郎官为汉代中央政府之官，秩六百石。

②馆陶公主：名红夫，光武帝之女，明帝之姊，建武十五年(39)封馆陶公主，嫁驸马都尉韩兴。
③列宿：指天上的星宿，太微官后二十五星即郎位星。
④除授：除旧官，授新官。
⑤名器：等级和名分。

【译文】

汉代史书上记载：明帝时馆陶公主为她的儿子求一郎官，明帝不允许，却赐给铜钱一千万。对群臣说："郎官与天上的星宿相对应，出去任职就管理百里的地方，若用错了人，老百姓要受祸害，所以不给他官。"

君臣鱼水[①]

三国史纪：诸葛亮[②]隐于襄阳隆中，有王霸大略。刘先主[③]闻其名，亲驾顾之，凡三往，乃得见。亮因说先主以拒曹操[④]，取荆州[⑤]，据巴蜀[⑥]之策。先主深纳其言，情好日密。关羽、张飞[⑦]不悦，先主解之曰："孤之有孔明，犹鱼之有水也，愿诸君勿复言。"

【解】三国史上记：诸葛亮初隐居于襄阳之隆中地方，有兴王定霸的才略，不肯出仕，人称他为卧龙。蜀先主刘备闻其名，乃亲自枉驾去见他，凡去三次，才得相见。亮以道自重，本不求仕进，见先王屈尊重道，诚意恳切如此，心怀感激，遂委质为臣，因说先主以拒曹操、取荆州、据巴蜀的计策，先主以这计策甚善，深纳其言，与他相处，情好日益亲密。当时先主有两个结义的兄弟，叫做关羽、张飞，见先主一旦与亮这等亲密，心中不喜，先主劝解说："孤之有孔明，如鱼之有水一般。鱼非水，无以遂其生；我非孔明，无以成帝业。诸君既与我同心要兴复汉室，不可不亲厚此人也。愿诸君勿再以为言。"夫先主信任孔明，虽平日极相厚如关、张，亦离间他不得如此。故孔明得展其才，结吴拒魏取蜀，当汉祚衰微之时，成三分鼎立之势，其后又于白帝托孤[⑧]辅佐后主。观其前后出师表[⑨]，千古读之，使人垂涕。盖其心诚感激先主之恩遇，故鞠躬尽瘁而不辞也。后世称君臣之间相亲相信者，必以鱼水为比，盖本诸此云。

【注释】

①此篇出自《三国志·蜀书·诸葛亮传》。记述刘备三顾茅庐，得诸葛亮后事业有很大发展。君臣互相信任、如鱼得水的故事。

②诸葛亮(181—234)，字孔明，三国琅琊阳郡(今山东沂南南)人，隐居于襄阳隆中(今湖北襄阳西北)，号称卧龙。刘备聘请后，帮助刘备建立了蜀汉政权。

③刘先主：即刘备(161—223)，字玄德，河北涿郡(今河北涿州)人，三国蜀汉的创立者。刘备死后，臣下称其为先主。

④曹操(155—220)：字孟德，沛国谯人(今安徽亳州)。魏的创立者，建安十三年(208)赤壁之战被孙权与刘备击败。死后被其子曹丕谥为武帝。

⑤荆州：东汉十二州之一。刘表为荆州牧，治所在今湖北襄阳。

⑥巴蜀：巴郡与蜀郡，今四川全境，东汉时称益州。东汉末年，刘璋为益州牧，治所在今成都。

⑦关羽(？—219)、张飞(？—221)：蜀汉大将。关羽，字云长，河东解县(今山西临猗西南)人；张飞，字翼德，涿郡(今河北涿州)人：均随刘备起兵，感情至密，亲如兄弟。

⑧白帝托孤：彰武三年(223)刘备在白帝城(今四川奉节东北)临死时，以遗子刘禅托付诸葛亮辅佐。

⑨前后出师表：指诸葛亮于建兴五年(227)出兵汉中北伐曹魏时的《前出师表》与建兴六年(228)的《后出师表》两文。为诸葛亮出师前对

后主刘禅的谏言。

【译文】

三国史书上记载:诸葛亮隐居于襄阳隆中时,有兴王定霸的才略。先主刘备听到他的名声,亲自去见他,一共去了三次,才见到他。诸葛亮便对刘备讲述了抗拒曹操、夺取荆州、进据四川的策略,刘备完全听从了他的意见,感情日益亲密。关羽、张飞对此很不高兴,刘备解释说:"我之有孔明,好像鱼得了水一样,希望诸位以后不要再这样讲。"

焚裘示俭[1]

晋史纪：武帝时，太医司马程据献雉(zhì)[2]头裘，命焚之于殿前，诏中外，自今毋献奇技异服。

【解】晋史上记：武帝初即位时，有太医司马程据者，以雉头羽毛，织成裘袄来献。帝见其过于华丽，恐长奢靡之风，命人以火焚之于殿前，以示己之不贵异物，不尚服饰也。又诏中外，自今以后，再不许将奇异技巧之物，及华美异样的衣服来献。盖人主之好尚，乃天下观法所系，不可不慎也。晋武禅(shàn)位[3]之初，承魏氏[4]奢侈之后，欲矫以节俭，故不焚于他所，而焚于殿前，要令众庶共见之耳。然其意不出于至诚，故未久即变，孽后乱政[5]，五王僭侈[6]，而晋室南迁[7]矣。孟子说："恭俭岂可以声音笑貌为哉[8]！"正此之谓也。

【注释】

①此篇出自《晋书·武帝纪》。记述晋武帝司马炎(236—290)于咸宁西年(278)十一月太医司马程据献雉头裘，为表示节俭将裘焚于殿前的故事。

②雉：野鸡，羽毛华丽，可做装饰品。

③禅位：把皇帝位子让与他人。接受别人的让与称受禅。

④魏氏：即三国曹魏。司马炎于咸熙二年(265)受魏元帝曹奂之禅，而

建立晋朝。

⑤孽后乱政:指晋惠帝贾后(256—300),名南风,平阳襄陵(今山西襄汾东北)人。利用晋惠帝痴呆,专权乱政。

⑥五王僭侈:指西晋八王之乱时赵王司马伦、齐王司马冏、成都王司马颖、河间王司马颙、东海王司马越,相继专权僭摄之事。

⑦晋室南迁:指西晋灭亡后,琅邪王司马睿于永嘉元年(307)在建康(今南京)建立的东晋政权。

⑧见《孟子·离娄上》,是说"节俭岂能仅仅用声音笑貌的形式来表现呢?"

【译文】

晋代史书上记载:晋武帝时,太医司马程据献了一件用野鸡毛织成的裘衣。武帝命令把它在殿前烧掉,并宣告朝野,从今以后,不许贡献新奇技艺做成的怪异服装。

留衲戒奢[1]

宋史纪：高祖微时，尝自于新洲[2]伐荻，有衲（nà）[3]布衫袄，臧皇后[4]手所作也。既贵，以付其长女会（kuài）稽公主[5]曰："后世有骄奢不节者，可以此衣示之。"

【解】六朝宋史上记：高祖刘裕起初微贱时，其家甚贫，常亲自在新洲上砍斫芦荻，那时穿一件碎补的衲袄，乃其妻皇后臧氏亲手缝成的。及高祖登了帝位，思想平生受了许多艰苦，创下基业，恐子孙不知，不能保守，乃将这衲袄付与他的长女会稽公主收藏，嘱咐他说："后来我的子孙若有骄恣奢侈，不知节俭的，你可把这衣与他看，使他知我平素曾穿这等衣服，不得过求华美也。"大抵创业之君，亲历艰苦，知民间衣食之难，爱惜撙（zǔn）节[6]，人又瞒他不得，是以取于民者有制，而用常有余。后来子孙生长富贵，若非聪明特达者，易流于奢靡，轻用财帛，而人又欺瞒得他，冒破侵修取于民者日多，而用反不足，至于横征暴敛，民穷盗起，危其国家，此宋高祖示戒之意也。继体之君，若能取法祖宗，自服御之近，以至一应费用，必考求创业时旧规，要见当初每年进出几多，后来每年进出几多，在前为何有余，后来为何不足，把那日渐加增之费一一革去，则财用自然充积，赋敛可以简省，民皆安生乐业，爱戴其上，而太平可长保矣。

【注释】

①此篇出自《宋书·徐湛之传》。记宋高祖刘裕(363—422)留下自己微贱时所穿的补丁衣服，告诫后人不要奢侈的故事。

②新洲：今南京北大江中，与幕府山相对，亦名萍家洲。

③衲：补丁，衲袄，有补丁的袄。

④臧皇后：刘裕微贱时的发妻，名爱亲，东莞莒(今山东莒县)人，生会稽公主。义熙四年(408)逝世，年四十八，刘裕即皇帝位后，追谥为敬皇后。

⑤会稽公主：刘裕长女，名兴弟，嫁徐逵之。

⑥撙节：约束，抑制。

【译文】

南朝宋代史书上记载：高祖刘裕微贱时，曾常去新洲砍伐芦荻，有一件补丁衫袄，是妻子臧皇后亲手做的。到他做了皇帝以后，将这件衣服交给长女会稽公主说："后代有骄傲奢侈不节俭者，就把这件衣服拿给他看。"

弘文开馆[1]

唐史纪：太宗于弘文殿，聚四部书二十余万卷，置弘文馆[2]于殿侧。精选天下文学之士虞世南[3]、褚亮[4]、姚思廉[5]、欧阳询[6]、蔡允恭[7]、萧德言[8]等，以本官兼学士，令更日宿直。听朝之隙，引入内殿，讲论前言往行，商榷政事，或至夜分乃罢。

【解】唐史上记：太宗于弘文殿内，聚经史子集书四部，有二十余万卷，又于殿旁开设一馆，就叫做弘文馆。精选天下文学之士虞世南、褚亮、姚思廉、欧阳询、蔡允恭、萧德言等，各以原官兼弘文馆学士，处之馆中，还教他轮番宿直。每朝罢，便引世南等到内殿，与他讲论那书中的言语，古人的行事，或商量那时的政事该何如处，常至夜半才罢。夫太宗以武定天下而好文如此，盖战乱用武，致治以文，太宗有见于此，故能身致太平，而为一代之英主也。

【注释】

①此篇出自《旧唐书·儒学传》并《资治通鉴》卷192，唐纪八，武德九年(626)。记唐太宗重视文学讨论政事的故事。

②弘文馆：唐高祖武德四年(621)门下省设修文馆。武德九年(626)唐太宗即位后改为弘文馆。

③虞世南(558—638):字伯施,唐越州余姚(今浙江余姚)人,在隋官秘书郎、起居舍人,入唐后官至秘书监、弘文馆学士。长于文学,并善书法,与欧阳询并称欧虞。

④褚亮:字希明,杭州钱塘(今浙江杭州)人,褚遂良父,隋时为东宫学士、太常博士。入唐后授秦王府文学馆学士。与杜如晦、房玄龄、于志宁、薛收、姚思廉、陆德明、孔颖达等十八人俱为文学馆学士。贞观初为弘文馆学士。

⑤姚思廉(557—637):字简之,雍州万年(今陕西西安)人。唐初史学家。隋时为代王侑侍读,入唐为秦王府文学馆学士。贞观初为著作郎,弘文馆学士。著《梁书》50卷,《陈书》30卷。

⑥欧阳询(557—641):唐潭州临湘(今湖南长沙)人,隋为太常博士,贞观初为太子率更令,弘文馆学士。善书,为唐代大书法家。

⑦蔡允恭:荆州江陵(今湖北江陵)人,工诗,隋时任著作佐郎,起居舍人,入唐后先为秦王府参军兼文学馆学士,贞观初为太子洗马,弘文馆学士。

⑧萧德言(?—654):字文行,雍州长安(今陕西西安)人。父、祖皆官梁、陈,有名于时。贞观时任著作郎、弘文馆学士、秘书监少监。

【译文】

唐代史书上记载:唐太宗在弘文殿聚集经史子集四部书二十多万卷,又在殿旁设立弘文馆,精选天下专长于文学的学者虞世南、褚亮、姚思廉、欧阳询、蔡允恭、萧德言等,以原官兼任弘文馆学士,按日轮流值班。每天朝廷议事之余,即令进入内殿,共同讲论古人的言论与行事,商量处理政事,有时到夜半才停止。

上书粘壁[1]

唐史纪：太宗谓裴寂[2]曰："比多上书言事者，朕皆粘之屋壁，得出入省览，数思治道，或深夜方寝。公辈亦当恪勤职业，副朕此意。"

【解】唐史上记：太宗一日向司空裴寂说道："近日以来，上书奏事者条件甚多，朕将各衙门条陈的章奏，取其言之当理者，都粘在墙壁上，庶一出一入，常接于目，便于朝夕省览。每思天下至大，治之甚难，如何才有利于民，如何才不病于国，思想起来，至不能寐，或到深夜时分才去安歇，此朕一念不敢怠荒之心也。公等为国大臣，分理庶政[3]，亦当夙夜罔懈，恪供职事，以副朕惓惓图治之意可也。"昔孔子说："为君难，为臣不易。"[4]古语说："尧兢兢，舜业业。"夫以天下之广，兆民之众，若非为君者忧勤惕厉，主治于上，为臣者竭忠尽力分治于下，欲求治平，岂可得哉！观唐太宗告裴寂之言，即虞庭[5]君臣交相儆戒之意也，其致贞观太平之盛也，宜哉！

【注释】

①此篇出自《贞观政要·求谏第四》。记述唐太宗重视臣下上书的故事。

②裴寂(570—632)：字玄真，蒲州桑泉(今山西临晋)人，隋时任左亲卫、侍御史、晋阳宫副监，李渊称帝后拜尚书右仆射、左仆射，晋州道

行军总管等职。

③庶政：各种政务。

④见《论语·子路》："人之言曰：'为君难，为臣不易。'"作君主很难，作臣下也不容易。

⑤虞庭：指虞舜的朝廷。《尚书·皋陶谟》记述虞舜和大禹、皋陶研讨政事之事。

【译文】

唐代史书上记载：太宗对大臣裴寂说："近来上书奏事的很多，我都把它们贴在墙壁上，以便出入观看思考，反复考虑治理天下的办法，有时到深夜才去休息。你们也应当谨慎勤于职守，不辜负我的期望。"

纳箴赐帛[①]

唐史纪：太宗即位，张蕴古[②]上《大宝箴》，其略曰："今来古往，俯察仰观，惟辟作福[③]，为君实难。圣人受命，拯溺亨屯(zhūn)[④]，归罪于己，因心于民。大明[⑤]无私照，至公无私亲，故以一人治天下，不以天下奉一人。勿谓无知，居高听卑；勿谓何害，积小就大。乐不可极，乐极生哀；欲不可纵，纵欲成灾。壮九重于内，所居不过容膝，彼昏不知，瑶其台而琼其室；罗八珍于前，所食不过适口，惟狂罔念，丘其糟而池其酒。勿内荒于色，勿外荒于禽，勿贵难得货，勿听亡国音，勿谓我尊而傲贤慢士，勿谓我智而拒谏矜己。安彼反侧，如春阳秋露，巍巍荡荡，恢汉高大度；抚兹庶事，如履薄临深，战战栗栗，用周文小心[⑥]。《诗》云：'不识不知。[⑦]'《书》云：'无偏无党。[⑧]'众弃而后加刑，众悦而后行赏。勿浑浑而浊，勿皎皎而清，勿汶(wèn)汶[⑨]而暗，勿察察而明。虽冕旒(liú)蔽目，而视于无形；虽黈纩(tǒu kuàng)[⑩]塞耳，而听于无声。"上嘉之，赐以束帛，除大理丞。

【解】唐史上记：太宗初登极时，有一书记官张蕴古上《大宝箴》一篇。大宝是人君所居的宝位，箴是儆戒之辞，人臣不敢直说是箴规天子，故以大宝名箴。这箴中的言语，字字真切，句句有味，从之则为尧舜，反之则为桀纣。人君尊临大宝，须把这段说话常常在目，做个箴规，方可以长保此位，所以名大宝箴。太宗深以蕴古之言为善，赐他束帛，升他做大理寺丞。观太宗纳善之速如此，其所以为唐之令主而成贞观之治者，盖得于是箴为多。

【注释】

①此篇出自《旧唐书·张蕴古传》。记述张蕴古给唐太宗上《大宝箴》而得到赏赐的故事。

②张蕴古：唐相州洹水（今山西黎城）人，博涉书传，为州郡所称，由幽州总管府记室兼值中书省。上《大宝箴》后升任大理寺丞。

③惟辟作福：出自《尚书·洪范》，意为只有天子造福。辟，天子、诸侯的通称。

④亨屯：亨，通“顺”；屯，艰难。亨屯，谓解救危难。

⑤大明：指太阳，或日月兼称。

⑥周文小心：《诗·大雅·大明》篇：“维此文王，小心翼翼。”指周文王处理政事特别小心谨慎。

⑦不识不知：《诗·大雅·皇矣》篇：“不识不知，顺帝之则。”意为不知不觉地顺从上帝的法则。

⑧无偏无党：《尚书·洪范》：“无偏无党，王道荡荡。”不偏不倚，王道宽广无边。

⑨汶汶：昏愚不明。

⑩黈纩：黄色丝绵。古代帝王戴冕，两旁各挂一小团黄绵，以示不欲妄

听是非。

【译文】

唐代史书上记载：太宗即位之后，张蕴古上奏了一篇《大宝箴》，大略说："从古到今，上观下察，只有国君可以造福，做一个君主也实在很难。圣人接受上天的命令，拯危救难，有罪归于自己，施恩及于人民。日月的光芒不会偏照，最公正的人不会偏袒亲属，所以用一人来治天下，不是以天下人来侍奉一人。不要说不知道，处在高位要了解民情；不要说小事没有什么害处，积累小毛病可以酿成大祸害；享乐不可太甚，过分享乐就会产生悲哀；私欲不可放纵，放纵私欲必定成灾。宫室修得再壮大，所居住的地方不过是很小的地方，那些昏庸无知的君主，用美玉砌成楼台，用琼玉装饰宫室，面前摆着各种山珍海味，所吃不过是适合口味的很小一部分，由于狂妄的念头，把酒糟堆成山，把酒注成池。不要在内迷恋酒色，不要在外迷恋游猎，不要看重稀有的财宝，不要听那亡国的邪音，不要认为自己尊贵而看不起和怠慢贤能之士，不要认为自己聪明而拒绝规劝，夸耀自己。安抚那些不顺从人的心，有如春天的阳光和秋天的雨露，既高大而且宽广，发扬汉高祖的宽怀大度；处理各种政事，好像踩着薄冰和面临深渊，战战兢兢，应当像周文王那样小心谨慎。《诗经》上说：'不识不知。'《书经》上说：'不偏不倚。'众人都反对而后加以刑罚，众人都赞扬而后给以赏赐，不要糊里糊涂而是非不清，不要过分洁净而示清明，不要乱七八糟而蒙受玷污，不要过分苛察而表示自己精明。虽然礼冠上的冕旒挡住目光，也要看出还没有发生的问题；虽然绵丸塞着耳朵，也要听到没有发出的声音。"太宗很赞赏这些意见，赏赐给他许多布帛，授以大理寺丞。

纵鹊毁巢[1]

唐史纪：太宗时，尝有白鹊构巢于寝殿之上，合欢如腰鼓，左右称贺。上曰："我常笑隋帝[2]好祥瑞，瑞在得贤，此何足贺。"命毁其巢，纵鹊于野外。

【解】唐史上记：太宗时，尝有白鹊结窝于寝殿之上，其巢两个合而为一，有合欢之形，又两头大，中腰小，恰似那乐器中腰鼓的模样。左右侍臣都说道："凡物相并，则不能相容，今两鹊为巢，合而为一，形状殊常，实为稀有，此盖天地和气所钟，主上圣德所感，理当称贺。"太宗说："不然。昔隋帝不好贤人而好祥瑞，至于亡国，我尝笑他。以我看来，只是得贤臣、理政事、安百姓，使天下太平，这才是真正的祥瑞。至于珍禽奇兽，不过一物之异耳。何足为瑞而称贺哉！"遂令人毁其窝巢，而纵放白鹊于野外。夫天地之间草木鸟兽，形质间有殊异者，皆气化偶然，不足为奇，人主不察，遂以为瑞。于是小人乘机献谄，取悦于上，至有以孔雀为鸾凤[③]而诬上行私者矣。人主好尚，可不谨哉！唐太宗纵鹊毁巢，诚为超世之见，而瑞在得贤，尤万世人君之龟鉴[④]也。

【注释】

①此篇出自《旧唐书·五行志》。并见《资治通鉴》卷193，唐纪九，贞观二年(628)。记述唐太宗不信祥瑞的故事。

②隋帝：指隋炀帝。

③鸾凤：传说中的一种鸟，本无其物，有以孔雀指为鸾凤者。

④龟鉴：龟可作占卜，鉴为镜子。比喻借鉴。

【译文】

唐代史书上记载：唐太宗时，曾有白鹊筑巢于皇帝的寝殿之上，两巢合二为一，形状像个腰鼓，左右大臣便向太宗祝贺。太宗说："我常嘲笑隋炀帝喜好祥瑞，真正的祥瑞在于得到贤人，这有什么值得道贺的？"便命令把巢毁掉，放鹊于野外。

敬贤怀鹞[1]

唐史纪：太宗尝得佳鹞，自臂之，望见魏征[2]来，匿怀中。征奏事故久不已，鹞竟死怀中。

【解】唐史上记：太宗一日得个极好的鹞子，心上喜爱，亲自在臂膀上驾着。魏征平日好直言极谏，太宗尝敬惮他。当驾着鹞子的时节，恰好魏征走来奏事，太宗恐怕他看见，将鹞子藏在自己怀里。魏征晓得太宗怀着鹞子，故意只管奏事不止，那鹞子藏的时候久了，毕竟死于怀中。夫太宗尊为天子，偶有臂鹞之失，见了正直的臣，便惭沮[3]掩蔽，如害怕的一般。盖他本是个英明之主，自知所为的非礼，故深以为歉，宁坏了所爱的物而不恤也。臂鹞是他差处，匿于怀中，是他明处。

【注释】

①此篇出自唐刘悚《隋唐嘉话》，并见《资治通鉴》卷 193，唐纪九，贞观二年(628)。记唐太宗因听魏征奏事，将鹞匿死怀中的故事。

②魏征(580—643)：唐初大臣。字玄成，馆陶(今河北)人，隋末参加瓦岗起义，李密败，降唐。初为太子洗马，太宗即位后任谏议大夫、秘书监等职，以善谏闻名。前后陈谏二百余事。

③惭沮：惭愧而丧气。

【译文】

唐代史书上记载：太宗曾得到一只很好的鹞子，驾在臂膊上玩，望见魏征来了，便藏匿在怀中。魏征奏事故意久而不停，鹞子竟死在太宗怀中。

览图禁杖[①]

唐史纪：太宗览《明堂针灸图》[②]，人五脏之系，咸附于背。诏自今毋得笞（chī）[③]囚背。

【解】唐史上记：太宗一日看《明堂针灸书》，这书是医家针灸治病的方法，内有个图形，说人腹中心、肝、脾、肺、肾，五脏的系统，皆附贴于脊背。太宗观览此图，思想起来，打人脊背，则五脏震动，或致伤命。遂下诏，令天下问刑衙门，自今以后不许笞杖罪囚的脊背。盖五刑各有差等，而笞罪为轻，彼罪当处死者，固自有应得之条矣。而于轻罪者复笞其背，使或至于死，诚为不可。太宗天资仁恕，耳目所接，无一不念在生民，故一览医方，而不忍之心遂萌，此诏一出，民之免毙杖下者，不知其几矣。传称太宗以宽仁治天下，而于刑法尤谨，信哉！

【注释】

①此篇出自《新唐书·刑法志》。记唐太宗在贞观四年（630）于刑法方

面爱惜人民生命的故事。

②《明堂针灸图》：古中医书名。《四库全书》著录为《明堂灸经》八卷，专论针灸之法，并有图式。

③笞：古代刑法之一。唐律定笞、杖、徒、流、死五种刑罚。笞是用竹板或荆条打人的背部或臀部。为刑罚最轻的一种。

【译文】

唐代史书上记载：太宗观看《明堂针灸图》时，看到人体五脏都贴附在背部，诏命自今以后，笞刑不得抽打囚犯的脊背。

主明臣直[①]

唐史纪，太宗尝罢朝，怒曰："会须杀此田舍翁。"后问为谁，上曰："魏征每廷辱我。"后退，具朝服，曰："妾闻主明臣直，今魏征直，由陛下之明故也，妾敢不贺。"上乃悦。

【解】唐史上记：太宗曾一日朝罢还宫，忽发怒说："少间定要杀了这个田舍翁（田舍翁即俗话说庄稼佬）。"时长孙皇后[②]问说："陛下要杀谁？"太宗说："是魏征，此人不知忌讳，每每当着众臣僚攻我的过失，羞辱我，我十分忍受不得，所以要杀他。"长孙皇后有贤德，知道魏征是个忠臣，乃退去，穿了朝贺的袍服，来对太宗说："妾闻古人云，上有明哲之君，则下有耿直之臣。今魏征之直言不阿，由陛下之圣明，能优容之故也。君明臣直，乃千载难逢，国家盛事，妾敢不称贺。"太宗闻皇后之言，其心乃悦。尝考自古创业守成之令主，虽圣明天挺[③]，然亦有内助焉。观长孙皇后之于唐太宗，虽夏之涂山[④]，周之太姒[⑤]，无以过之矣。太宗外有忠臣，内有贤后，天下安得不太平。

【注释】

①此篇出自唐刘悚《隋唐嘉话》，并见《资治通鉴》卷194，唐纪十，贞观

二年(628)。记唐太宗听取长孙皇后的劝谏优容魏征的故事。
②长孙皇后(？—636)：隋后卫将军长孙晟女，年十三嫁李世民。入唐初为秦王妃，唐太宗即位后封为皇后。贞观十年(636)去世，年三十六。葬于昭陵。
③天挺：谓天资卓越。挺，突出、特出。
④涂山：相传大禹娶妻于涂山氏。
⑤太姒：有莘氏女，周文王妻，周武王之母。

【译文】

唐代史书上记载：一天唐太宗罢朝后，大怒说："我一定要杀这个庄稼佬。"长孙皇后问是谁，太宗说："魏征常常在朝廷上侮辱我。"长孙皇后退去后穿上朝服，对太宗行礼说："妾听说君主圣明臣下便耿直，今魏征耿直，也是由于陛下圣明的原因，妾怎敢不祝贺您呢。"太宗才高兴了。

纵囚归狱[1]

唐史纪：太宗亲录系囚[2]，见应死者悯之，纵使归家，期以来秋就死[3]。仍敕天下死囚，皆纵遣，至期来诣京师。至是九月，去岁所纵天下死囚，凡三百九十人，无人督帅，皆如期自诣朝堂，无一人亡匿者。上皆赦之。

【解】唐史上记：太宗尝亲自审录罪囚，见那该死的囚犯，心里怜悯，不忍杀他，都放他回家，看父母妻子，限到明年秋间，着他自来就死。因此又敕令法司，将天下死囚也都暂放还家，亦限至明年秋里自来赴京。及至次年秋间，前时所放的罪囚，共三百九十人，都感太宗不杀之恩，不要人催督帅领，个个都照依期限，齐到朝堂听候处决，没一个逃亡隐匿下的。太宗见这些囚犯依期就死，终不忍杀，尽皆赦之。夫死者人之所甚惧，而犯死之人，必天下之恶人也。人君一施恩德遂能感激至此，使其死且不避，则人之易感者可知，而凡可报君之德者，必无所不用其情矣。然则，人君之治天下，其必以恩德为务哉。

【注释】

①此篇出自《新唐书·刑法志》。记贞观六年(632)唐太宗赦免死囚的故事。

②囚：审查记录囚犯罪状的卷宗，称录囚。
③期以来秋就死：古代死刑在秋九月执行。

【译文】

唐代史书上记载：唐太宗亲自审查记录囚犯罪状的卷宗，见到应该被处死的人，内心怜悯他们，放他们回家，但约定来年的秋天前来服刑。于是下令全国所有死囚，都放他们回家，等到期限时赶到京城。到了九月，凡是去年所放归的死囚一共三百九十人，没有人监督率领，都按期限来到朝廷的大堂上，没有一个人逃亡。唐太宗全都赦免了。

望陵毁观[1]

唐史纪：太宗葬文德皇后于昭陵，上念后不已，乃于苑中作层观，以望昭陵[2]。尝引魏征同登，使视之，征熟视之曰："臣昏眊(mào)，不能见。"上指示之，征曰："臣以为陛下望献陵[3]，若昭陵，则臣固见之矣。"上泣，为之毁观。

【解】唐史上记：太宗贞观十年，皇后长孙氏崩，谥为文德皇后，葬于昭陵。太宗因后有贤德，思念不已，乃于禁苑中起一极高的台观，时常登之以望昭陵，用释其思念之意。一日引宰相魏征同登这层观，使他观看昭陵，魏征思太宗此举欠当，他的父亲高祖葬于献陵，未闻哀慕，今乃思念皇后不已，至于作台观以望之，是厚于后而薄于父也。欲进规谏，不就明言，先故意仔细观看良久，对说臣年老眼目昏花看不能见。太宗因指昭陵所在，教魏征看。魏征乃对说，臣只道陛下思慕太上皇，故作为此观以望献陵，若是皇后的昭陵，臣早已看见了。太宗一闻魏征说起父皇，心里感动，不觉泣下，自知举动差错，遂命拆毁此观，不复登焉。太宗本是英明之君，事高祖素尽孝道，偶有此一事之失，赖有直臣魏征能婉曲以进善言，太宗即时感悟，改过不吝，真盛德事也。

【注释】

①此篇出自《资治通鉴》卷 194，唐纪十，贞观十年(636)。记唐太宗接受魏征的讽喻毁掉台观的故事。

②昭陵：唐太宗墓，在今陕西礼泉九嵕(zōng)山。从贞观十年(636)开始营建，至二十三年完成。唐太宗死前，其皇后长孙亦葬于此。

③献陵：唐高祖李渊墓，在今陕西三原县东十五里。

【译文】

唐代史书上记载：唐太宗把文德皇后安葬在昭陵，非常思念，便在禁苑中建造了一个有好多层的高台，以便瞭望昭陵。曾领魏征同登台，让他观看，魏征仔细观看很久说："臣下眼睛昏花，看不见。"太宗指示给他方向，魏征说："我以为陛下是在瞭望太祖的献陵，若是昭陵臣下是早已看见了。"太宗哭了，便把高台毁掉。

撤殿营居①

唐史纪：太宗以魏征宅无堂，命辍小殿之材以构之，五日而成，仍赐以素屏褥几杖等，以遂其所尚。征上表谢，上手诏曰："处卿至此，盖为黎元②与国家，何事过谢。"

【解】唐史上记：太宗时的大臣，只有个魏征能尽忠直谏，太宗也极敬重他。一日闻魏征所住的私宅，止有旁屋，没有厅堂，那时正要盖一所小殿，材料已具，遂命撤去，与魏征起盖厅堂，只五日就完成了。又以征性好俭朴，复赐以素屏褥几杖等物，以遂所好尚。征上表称谢，太宗手诏答曰："朕待卿至此，盖为社稷与百姓计，何过谢焉。"夫以君之于臣，有能听其言，行其道，而不能致敬尽礼者，则失之薄；亦有待之厚，礼之隆，而不能谏行言听者，则失之虚。又有赏赐及于匪人，而无益于黎元国家者，则失之滥。而人不以为重矣。今观太宗之所以待魏征者，可谓情与文之兼至，固宜征之尽忠图报，而史书之以为美谈也。

【注释】

①此篇出自《旧唐书·魏征传》，并见《贞观政要》卷2，任贤，魏征。记述唐太宗爱护臣下的故事。

②黎元：即黎民百姓。

【译文】

唐代史书上记载：太宗因为魏征的住宅没有厅堂，命令停止小殿的建筑材料，给魏征修盖厅堂，五天就建成了，还赐给他素色的屏风和褥、几、杖等物，以符合他崇尚朴素的个性。魏征上表感谢，太宗亲手答诏说："这样对待你，是为了老百姓和国家，何必要过分感谢呢。"

面斥佞臣[①]

唐史纪：太宗尝至树下，爱之，宇文士及[②]从而誉之不已。太宗正色曰："魏征尝劝我远佞人，我不知佞人是谁，意疑是汝，今果不谬。"士及叩头谢。

【解】唐史上记：太宗一日退朝之暇，曾闲行到一树下，见其枝叶茂盛，心颇爱之。是时宇文士及在旁，要阿奉太宗的意思，就将那株树称誉不止，太宗觉得士及是个便佞的人，心里厌他，因正色面斥之，说道："往日魏征尝劝我斥远佞人，我不知今朝中哪一个是佞人，但心里也疑是你，自今观之，一树之微，何足称誉，其曲意承顺如此。所谓佞人，非汝而谁，平日所疑，果不谬也。"士及惶恐叩头谢罪。尝观孔子有言曰："恶利口之覆邦家"[③]，又曰："远佞人。"[④]盖便佞之人，专一窥伺人主的意思，巧于奉承，哄得人主心里喜悦，就颠倒是非，变乱黑白，贼害忠良，报复仇怨，如费无忌[⑤]、江充[⑥]之伦，把人家君臣父子都离间了，终至于骨肉相残，国家倾败而后已。是以圣人深以为戒，如饮鸩毒，如避蛇蝎，不敢近他，如唐太宗之面斥宇文士及，可谓正矣。然终不能屏而远之，则亦岂得为刚明之主哉。然佞人亦难识，但看他平日肯直言忠谏的，就是正人；好阿谀奉承的，就是佞人，以此辨之，自不差矣。

【注释】

①此篇出自唐刘悚《隋唐嘉话》，并见《资治通鉴》卷196，唐纪十二，贞观十六年(642)。记唐太宗批评宇文士及阿谀奉承的故事。

②宇文士及(？—642)：字仁人，雍州长安(今陕西西安)人，宇文化及之弟，尚隋炀帝女南阳公主，降唐后武德时任中书令，后任凉州都督、蒲州刺史，终殿中监。

③《论语·阳货》："恶利口之覆邦家者"，厌恶那些能言善辩而毁灭国家的人。

④《论语·卫灵公》："放郑声，远佞人。"放弃淫靡的郑国音乐，远离巧辩谄媚的人。

⑤费无忌：春秋时楚国大夫，以善谗闻名。伍奢吴尚父子即遭费无忌之谗而被杀。

⑥江充：西汉邯郸人，字次清，以告密得见汉武帝，任绣衣使者。因与戾太子据有隙，乘武帝有病，诬告太子以巫蛊术谋害武帝，导致武帝发兵击太子，太子兵败自杀。

【译文】

唐代史书上记载：太宗曾到一树下，表示非常爱惜，宇文士及便跟着称赞这树不已。太宗态度很严肃地说："魏征曾劝我远离佞人，我不知道佞人是谁，心里也怀疑是你，今天果然不错。"宇文士及急忙叩头认错。

一百卅四

剪鬚和藥
唐太宗
李勣

剪须和药[①]

唐史纪：太宗时，李世勣[②]常得暴疾，方云须灰可疗。上剪须为之和药。世勣顿首出血泣谢。上曰："朕为社稷，非为卿也，何谢之有？"

【解】唐史上记：太宗时，有功臣李世勣得个暴病，医方上说用人须烧灰，可治此病。太宗只要世勣的病好，遂将自己的须剪与他合药。世勣病愈，感帝之恩，叩头出血，涕泣而谢。太宗说："朕赖卿以安社稷，卿安则社稷安矣，朕剪须以治卿病，乃是为社稷计，不为卿一人之私也，何谢之有？"孟子曰："君之视臣如手足，则臣视君如腹心。"[③]太宗忧世勣之病，至亲剪其须以疗之，诚不啻若手足之爱矣。为之臣者安得不竭忠尽力，奋死以图报哉！

【注释】

①此篇出自《旧唐书·李世勣传》，并见《资治通鉴》卷197，唐纪十三。记唐太宗体恤大臣的故事。

②李世勣(594—669)：本姓徐，名世勣，字懋公，曹州离狐(今山东东明东南)人。最初参加瓦岗农民起义，后降唐，赐姓李。屡建军功，封英国公。

③见《孟子·离娄下》。意为君主把臣下看作手足那样亲近，臣下就把君主看作腹心那样重要。

【译文】

唐代史书上记载：太宗时，李世勣得了暴病，医方说胡须的灰可以治疗。太宗便剪了自己的胡须为李世勣配药。李世勣把头磕出血来哭泣着感谢，太宗说："我是为了国家，不是为了你个人，有何可感谢的呢。"

遇物教储[1]

唐史纪：太宗自立太子，遇物则诲之。见其饭则曰："汝知稼穑之艰难，则常有斯饭矣。"见其乘马则曰："汝知其劳而不竭其力，则常得乘之矣。"见其乘舟则曰："水所以载舟，亦所以覆舟。民犹水也，君犹舟也。"见其息于木下，则曰："木从绳则正，后从谏则圣。"[2]

【解】唐史上记：太宗自立晋王[3]为太子，凡遇一物一事，必委曲诲谕之，以启发他的意志。如见太子进膳，就教之说：农夫终岁勤苦，耕耘收获，种得谷成，方有此饭。汝若用饭之时，即念稼穑艰难，此饭不容易得，推此心去体恤农夫，节省用度，则上天必监汝有惜福之智，而多降天禄，使汝常得用此饭矣。如见太子乘马，就教之说：马虽畜类，亦具知觉之性，所当爱惜。汝若乘马之时，即念此马之劳，驰驱有节，不尽其力，则上天必监汝有爱物之仁，而贵畀万乘，使汝常得乘此马矣。如见太子乘舟，就教之说：水本以载舟，故舟借水以运，然而水亦能覆舟，则舟不可倚水为安。那百姓们就譬之水一般，为君上的譬之舟一般，君有恩德及民，则民莫不戴之为君；若是暴虐不恤百姓，则人亦将视之为寇仇而怨叛之。譬之于水，虽能载舟，亦能覆舟，不可不惧也。如见太子息阴于木下，就教之说：木生来未免有弯曲处，惟经匠氏绳墨，则斫削的端正，可为宫室器物之用。人君生长深宫，未能周知天下之务，岂能件件不差，惟虚心听从那辅弼谏诤之臣，则智虑日明，历练日熟，遂能遍知广览而成圣人矣。这是《书经》上的说话，不可不知也。唐太宗之教诲太子，其用心谆切如此。盖太子乃天下之本，欲成就其德，惟在教诲周详，所以唐太宗特加意于此，其深谋远虑，真可为万世法矣。

【注释】

①此篇出自《资治通鉴》卷197，唐纪十三，贞观十七年(643)。并见《贞观政要》卷4，教诫太子诸王。

②见《尚书·说命上》，意为：木以木匠的绳墨可以校正，国君听从规劝就可成为圣人。后，古代指国君与诸侯。

③晋王：即唐高宗李治(628—683)，唐太宗第九子，贞观五年(631)封晋王，贞观十七年废太子承乾后，立晋王为太子。

【译文】

唐代史书上记载：太宗自从立太子以后，遇到事物就要给以教诲。看到吃饭时就说："你知道种庄稼的艰难，就会常有这样的饭吃。"看到乘马时就说："你知道马的劳顿，不要使尽它的力气，就会常有马骑。"看到乘船时就说："水能够载船运行，也能够把船打翻。老百姓就好像水，国君就好像船。"看到在树荫下休息就说："木用绳墨可以校正，国君听从规劝就可以变成圣人。"

遣归方士①

唐史纪：太宗时，天竺②方士娑婆寐③，自言有长生之术，上颇信之，发使诣婆罗门④诸国采药，药竟不就，乃放还。高宗即位，复诣长安，上复遣归，谓宰相曰："自古安有神仙，秦始皇汉武求之，卒无所成，果有不死之人，今皆安在？"李勣对曰："此人再来，容发衰白，已改于前，何能长生。"竟未及行而死。

【解】唐史上记：太宗时，西域天竺国有个方外的道士，叫做娑婆寐，自己说他有长生不老的药方，太宗初信其言，发人去往婆罗门诸国采取药物，着他制药，竟不能成，乃遣他还归本国。及至高宗即位，这方士又到京师，以其方术见上，高宗不纳，仍复遣还，因与宰相说道："自古生必有死，神仙之说都是虚诞。昔时秦始皇汉武帝为求神仙，费了一生心力，到底没一些效验。若使世界果有长生不老之人，今皆何在？”李勣对曰：“此人这一番来，容貌衰老，发尽皓白，与前次不同，他若有仙方，何不自家服食延年，而衰老如此，其妄诞可知矣。”后果不及还家而死。由此观之，神仙之说，原是谄谀之人干求恩宠，见得天子之富贵已极，无足以动其意者，惟有长生一事，不可必得，遂托为渺茫玄远之说，以歆动人主之意。是以为秦皇求仙药者，有徐福⑤辈，入海不返，为汉武求仙方者，有栾(luán)大⑥等，无功被诛。即此二事，可为明验，然惟清心寡欲，节慎于饮食起居之间，自可以完固精神，增益年寿。如五帝三王，享国长久，垂名万世，不亦美乎。

【注释】

①此篇出自《旧唐书·西戎天竺国传》。记印度方士妄言有长生不老之术被唐高宗遣归的故事。

②天竺：古印度的国名。

③娑婆寐：唐代前来中土的印度僧人。

④婆罗门：印度四大种姓之首，宗教贵族，因政教合一，所以古印度也被称为婆罗门。

⑤徐福：即徐市，秦代方士。曾上书秦始皇，言海中有仙人居住，可以求得仙药，长生不老，秦始皇派徐福率童男童女千人入海求仙，徐福去而未归。据传至日本定居。

⑥栾大：汉武帝时方士，胶东人，向汉武帝诡称，可得不死之药，被封为五利将军，后整装入海求药，没有结果，被汉武帝处死。

【译文】

唐代史书上记载：天竺国方外道士娑婆寐自称他有长生不老的药方，太宗很是相信，派遣使者到婆罗门诸国去采访药物，叫他制药，始终没成，便放他回去。高宗即皇帝位后，他又来到长安，高宗再遣送他回去。对宰相说："自古以来哪里能有神仙呢，秦始皇汉武帝寻求它，最终都没结果。要是真有不死的人，今天他们在哪里呢？"李勣回答说："这个人这次再来，面目衰老，头发已白，和前次大不相同，哪能长生？"果然，他还没来得及走，就死了。

焚锦销金[①]

唐史纪：玄宗以风俗奢靡，制[②]："乘舆服御、金银器玩，令有司销毁，以供军国之用。其珠玉、锦绣，焚于殿前。后妃以下，皆毋得服珠玉锦绣，天下更毋得采珠玉、织锦绣等物。罢两京[③]织锦坊。"

【解】唐史上记：玄宗初年，因见当时风俗奢侈华靡，心甚恶之，欲痛革其弊，乃诏：凡上用服御器玩，系是金银装饰打造的，令有司尽行销毁，却将这金银就充朝廷军国的费用。其内府[④]所积珠玉锦绣，都取在殿前用火烧了，以示不用。又以后宫不先禁止，外面人未免效尤，乃诏后妃以下，勿得用珠玉锦绣为服饰。又诏天下官民人等，再不许采取珠玉织

造锦绣等物。两京旧日，有织锦坊，也命撤去了，不复织造。盖珠玉锦绣，徒取观美，其实是无益之物，人君喜好一萌，必至征求四方，劳民伤财，无所不至。又且天下化之，习尚奢侈，渐至民穷财尽，贻害不小。玄宗初年刻励节俭如此，所以开元⑤之治，大有可观，到后来还不免以奢取败。可见靡丽之物，容易溺人，而人主持志不可不坚也。

【注释】

①此篇出自《资治通鉴》卷211，唐纪二十七，玄宗开元二年(714)。记唐玄宗即位之初，反对奢侈浪费，销毁金银器玩和禁服珠玉锦绣的故事。唐玄宗(685—762)名隆基，唐睿宗李旦第三子。先封临淄王，中宗景龙四年(710)发动政变杀韦后，拥立其父即位，延和元年(712)受父禅即皇帝位。

②制：唐玄宗即位时，尊睿宗为太上皇，上皇命曰诰，皇帝命曰制、敕。

③两京：指当时的京城长安与京都洛阳。

④内府：皇帝官内的仓库，储存皇家器用。

⑤开元：唐玄宗即位后的第一个年号，共29年(713—741)。

【译文】

唐代史书上记载：唐玄宗即位后，因为社会上有奢侈浪费之风，下命令说："皇帝的车马服用，凡是用金银制造的玩赏器物，命令有关衙门销毁，作为国家军需之用。那些珍珠玉石、精美华丽的丝织品，都集中到大殿前烧掉。皇后与妃子以下，都不许戴珠玉、用锦绣，全国再不许采买珍珠美玉和织造锦绣等物。撤销长安和洛阳的织锦坊。"

委任贤相[1]

唐史纪：玄宗初即位，励精为治，以姚元之[2]为相，每事访之，元之应答如响，同僚皆唯诺而已，故上专委任之。元之尝奏请序进郎吏，上仰视殿屋，再三言之，终不应，元之惧，趋出。罢朝，高力士[3]谏曰："陛下新总万机[4]，宰臣奏事，当面加可否，奈何一不省察。"上曰："朕任元之以庶政，大事当奏闻共议，郎吏卑秩，乃以烦朕耶？"会力士宣事至省[5]中，为元之道上语，元之乃喜，闻者皆服上识人君之体。

【解】唐史上记：玄宗即位之初，励精图治，知道姚元之是个贤臣，以他为宰相，每事必访问他，元之素有才能，练达政事，随问随答，如响之应声，同僚官皆不能及，但从后唯诺而已。于是玄宗专意委任之。一日元之面奏，请以次序升转郎官，玄宗不答应他，只仰面看着殿屋，元之又再三奏请，玄宗终不答应，元之只说玄宗怪他，恐有得罪，不敢再奏，趋走而出。及朝罢，内侍高力士谏说："陛下新总万机，宰相奏事，宜面定可否，何故只仰看殿屋，通不礼他。"玄宗说："我将国家的事，都付托与元之，委任至重，惟大事当奏闻，我与他商议。今郎吏小官，也来一一奏请，岂不烦黩耶。"这是玄宗专任宰相的意思，元之却不知，心怀疑惧，适遇高力士以传奉旨意事到中书省中，将玄宗的言语，备悉说与元之。元之心上才喜，群臣闻之，都说玄宗不亲细事，而委任贤相，得为君之体也。然人主须是真知宰相之贤，乃可以委任责成，不劳而治。若不择其人，而轻授以用舍之柄，将至于威权下移，奸邪得志，其为害又岂浅浅哉。故帝王之德，莫大于知人，而治乱之机，惟视其所任，人主不可不慎也。

【注释】

①本篇出自《资治通鉴》卷 210，唐纪二十六，玄宗开元元年(713)。记述唐玄宗委任姚元之为宰相，信任不疑的故事。

②姚元之：即姚崇(650 — 721)，陕州硖石(今河南三门峡南)人，本名元之，因避开元讳改名崇。武则天时任凤阁侍郎，睿宗、玄宗时任中书令。多有建树，后引宋憬自代，史称“姚宋”，为唐代名相。

③高力士(684 — 762)：唐玄宗时宦官，高州良德(今广东高州东北)人，本姓冯，为宦官高延福养子，改姓高。深得玄宗信任，负责内侍省事务，各种奏章都经他的手转送玄宗，故权力很大。

④万几：指帝王每日处理事务非常繁多。几，微也，言当谨慎注意万事万物之微。亦作“万机”。

⑤省：唐代官制，中央有中书、门下、尚书三省。中书省首脑为中书令，称右相；门下省首脑为侍中，称左相；尚书省首脑为左右仆射，加同中书门下平章事者亦为宰相。

【译文】

唐代史书上记载：唐玄宗初即位时，振奋精神，治理国家。用姚元之为宰相，每有事时就询问他，元之随即回答，其余同官的人都只有答应顺从。所以玄宗很信任他。元之曾经奏请按程序晋升郎吏，玄宗仰面看着殿庭，元之奏了几次，都没得到回答。元之心里很害怕，小步疾行退出。朝议结束之后，高力士劝谏玄宗说：“陛下新近总理国家事务，宰相奏事，应该当面表示可否，为什么一点不审察呢？”玄宗说：“我任用元之以诸多政事，大的事应该奏给我听，共同商议，郎吏是低级官吏，还需要麻烦我吗？”高力士到中书省宣布事情时，给元之说了玄宗的话，元之才高兴了。听到的人都心服玄宗通晓君主的身份。

兄弟友爱[1]

唐史纪：玄宗素友爱，初即位，为长枕大被，与兄弟共寝，饮食起居，相与同之。薛王业[2]有疾，上亲为煮药，火燃上须，左右惊救之，上曰："但使王饮此药愈，须何足惜。"

【解】唐史上记：玄宗与他兄弟诸王，极相友爱，到做了天子，也不改变。初登宝位，即制为长枕大被，与诸兄弟们一处宿歇，饮食行坐，都不相离。少弟薛王名业，曾染疾病，玄宗自己替他煎药，垆内火被风吹起来，烧着玄宗的须，左右惊慌上前救之，玄宗说："但愿薛王服药，病得痊可，我之须何足惜。"其友爱之切如此。夫兄弟本是同胞所生，故大舜待弟[3]，亲之欲其贵，爱之欲其富，至于一忧一喜，莫不与共。玄宗身为天子，能这等笃于友爱，亦可谓贤君矣。

【注释】

①此篇出自《资治通鉴》卷111，唐纪二十七，玄宗开元二年(714)。记

述唐玄宗即帝位后，仍与诸兄弟共寝、互相友爱的故事。
②薛王业：睿宗李旦第五子，本名隆业，因避玄宗讳，改单名业。为人好学，初授秘书监，后至太子太保。
③舜与其弟象的故事，见前《孝德升闻》篇。

【译文】

唐代史书上记载：唐玄宗一向待人友爱，初做皇帝后，仍做一个长的枕头和大的被子，和兄弟们共同睡眠，吃喝行动都在一起。薛王李业有病，玄宗便亲自煎药，煮药时火把胡须烧了，左右侍奉他的人连忙去救，玄宗说："只要薛王吃了这药病好了，我的胡须有什么可惜呢。"

召试县令[1]

唐史纪：玄宗悉召新除县令至殿庭，试理人策[2]，惟韦济[3]词理第一，擢为醴泉[4]令。余二百人不第，且令之官，四十五人放归学问。又敕京官五品以上外官刺史[5]，各举县令一人，视其政善恶，为举者赏罚。

【解】唐史上记：玄宗以县令系亲民之官，县令不好，则一方之人皆受其害，故常加意此官。是时有吏部新选的县令二百余人，玄宗都召至殿前，亲自出题考试，问他以治民之策，那县令所对的策惟有韦济词理都好，取居第一，拔为京畿醴泉县令。其余二百人，文不中第，考居中等，姑令赴任，以观其政绩何如。又四十五人，考居下等，放回原籍学问，以其不堪作令，恐为民害也。又敕令在京五品以上官，及外面的刺史，各举他所知的好县令一人，奏闻于上。既用之后，遂考察那县令的贤否，以为举主的赏罚，所举的贤，与之同赏；所举的不肖，与之同罚，所以那时县令多是称职，而百姓皆受其惠，以成开元之治⑥。今之知县，即是古之县令，欲天下治安，不可不慎重此官也。

【注释】

①此篇出自《旧唐书・韦思谦传》，并见《资治通鉴》卷111，唐纪二十七，玄宗开元四年(716)。记述唐玄宗重视地方官的任命，亲自考试县令的故事。

②理人策：即理民策，治理民众之策。唐避李世民讳，将民称作人。

③韦济：郑州阳武(今河南原阳)人，以辞翰闻名。开元初调鄄(juàn)城令，擢醴泉令，四迁至户部侍郎，太原尹。天宝时授尚书左丞。祖韦思谦、父韦嗣立，均在武则天、中宗朝以韦后族人，官居要职。

④醴泉：今陕西礼泉县。

⑤刺史：唐代郡的长官。从三品或正四品。

⑥开元之治：指唐玄宗开元年间(713—741)，生产发展，经济繁荣，户口比唐初增长四倍。使唐朝成为亚洲经济文化交流的中心，史家誉为"开元之治"。

【译文】

唐代史书上记载：唐玄宗召来新授职的全部县令到殿廷，亲自考试治民之策。只有韦济文辞义理第一，升为醴泉县令。其余二百人没有入等，但还让他们去赴任，四十五人放回原籍再学习。又命令京官五品以上和外官刺史，各推举县令一人，观察他们的政绩好坏，对举荐人进行赏罚。

听谏散鸟[1]

唐史纪：玄宗尝遣人诣江南，取䴔䴖(jiāo jīng)[2]、鸂鶒(xī chì)[3]等，欲置苑中，所至烦扰。汴州刺史倪若水[4]上言："今农桑方急，而罗捕禽鸟，陆水转送，道路观者，岂不以陛下为贱人而贵鸟乎。"玄宗手敕谢之，纵散其鸟。

【解】唐史上记：玄宗尝遣使臣往江南地方，采取䴔䴖、鸂鶒等水鸟，畜养于苑中，以恣观玩。时使臣所到的去处，百姓每不胜扰害，有汴州刺史倪若水上书谏说："如今江南百姓衣食不足，饥寒过半，方务农采桑，以耕织为急。而朝廷之上，乃使之罗捕禽鸟，水陆转运，远至京师，负累小民，骚扰地方。那路上人看见的，岂不说陛下轻视民命，重视禽鸟，为贱人而贵鸟乎。何故为此不急之务，好此无益之物，以亏损圣德也。"玄宗一闻若水之言，深合于心，即发手敕一道谢之。因纵散其鸟，不复采捕。尝闻召公之训武王曰："不贵异物贱用物，民乃足。"又曰："珍禽奇兽，不育于国。"人主之好尚，不可不审也。玄宗爱鸟，近于禽荒，一闻若水之言，即命散之，可谓从谏如流矣。然不但禽鸟一事，但凡人主喜好那一件物，即为地方之害。盖官吏奉承，指一科十[5]，半入公家，半充私橐(tuó)，甚至严刑峻罚，催督苛扰，百姓每至于鬻(yù)儿卖女，倾家荡产，其害可胜言哉。惟人主清心寡欲，一无所好，只着百姓每纳他本等的赋税[6]，则黎元皆得休息，天下自然太平矣。

【注释】

①此篇出自《旧唐书·倪若水传》，并见《资治通鉴》卷11，唐纪二十七，玄宗开元四年(716)。记述唐玄宗听从汴州刺史倪若水的劝谏，停止派使臣到江南搜罗禽鸟的故事。

②鵁鶄：水鸟名，亦即“池鹭”。

③鸂鶒：一种像鸳鸯的水鸟。

④倪若水：恒州藁城(今河北藁城)人，开元初任中书舍人，尚书右丞，出为汴州刺史，开元四年，唐玄宗令宦官至东南采禽，路经汴州，倪若水上谏止之。后官拜户部侍郎，尚书右丞。

⑤指一科十：明说要一个，实际则征收十个。科，派收捐税。

⑥本等的赋税：指国家法定的常额赋税。

【译文】

唐代史书上记载：玄宗曾派人到江南搜罗鵁鶄、鸂鶒等水鸟，打算放在园林中，所到之处扰害地方。汴州刺史倪若水上书说：“现在农耕蚕桑事业正忙，而网罗捕捉野鸟，陆路水路传递运送，沿途观看的人，岂不认为陛下轻贱人民而贵重野鸟吗？”玄宗亲书手谕表示感谢，把鸟都放了。

啖饼惜福[①]

唐史纪：肃宗为太子，尝侍膳，有羊臂臑(nào)[②]，上顾太子使割，肃宗既割，余污漫刃，以饼洁之。上熟视不怿，肃宗徐举饼啖(dàn)之，上大悦，谓太子曰："福当如是爱惜。"

【解】唐史上记：肃宗为太子时，曾在宫中亲侍他父皇玄宗进膳，盖问安侍膳，乃太子之礼也。那席间有一块羊臂臑(臂小节间肥肉也)，玄宗欲食之，顾视肃宗，着他亲自割切，肃宗承命，就用刀割切了。因刀刃上有些羊脂污漫，取一块饼，将刀揩得洁净。玄宗见饼乃食物，而以之拭刀为可惜，注目看着他，有不悦之色，肃宗从容举起那饼，放在口中吃了，不敢抛弃，玄宗方才大喜，遂对肃宗说道："凡人福禄有限，应当如此爱惜。"大抵自天子以至庶人，福分虽有大小，然皆以撙节爱惜而得长久，暴殄糜费，必致短促。譬之井泉，徐徐吸取，则其来无穷，用之不尽。若顿行打汲，则顷刻之间，立见其干竭矣。所以自古圣贤之君，虽尊居九重，富有四海，而常服浣濯(zhuó)之衣，不食珍奇之味，减省服御，爱养民力，故得寿命延长，国祚绵远。彼齐后主[③]、隋炀帝[④]之流，竭万民之膏血，以供一人之欲，如恐不足，一旦福穷禄尽，身丧国亡，岂不可悲也哉。唐玄宗惜福二字，诚万世人主之龟鉴也。

【注释】

①此篇出自李德裕《次柳氏旧闻》，记述唐肃宗遵从玄宗教导吃饼惜福的故事。唐肃宗李亨(711—762)，唐玄宗第三子。公元756—761年在位。天宝十四年(755)安史之乱爆发后，玄宗逃往四川。李亨以太子位即位于灵武(今宁夏)，尊玄宗为上皇。

②臂臑：牲畜前体的中下部，肩下谓之臂，臂下谓之臑。

③齐后主：即南齐东昏侯萧宝卷(483—501)，南齐第四代君主，在位期间(499—501)凶暴嗜杀，科敛无度，最后为部将萧衍所废，死后，追废为东昏侯。

④隋炀帝(569—618)：即杨广。在位期间(604—618)大兴土木，穷奢极欲，大业七年(611)爆发了农民起义，大业十四年(618)在江都为部将宇文化及所杀。

【译文】

唐代史书上记载：唐肃宗做太子时，曾陪玄宗吃饭，有一块羊臂臑，玄宗看着太子让他切割，肃宗切割之后，油脂沾满刀刃，肃宗用饼擦净了。玄宗仔细看着很不高兴，肃宗便慢慢把饼拿起来吃了，玄宗大为高兴，对太子说："福分要这样爱惜。"

烧梨联句[①]

唐史纪：肃宗召处士李泌[②]于衡山，至，舍之内庭。尝夜坐地炉，烧二梨以赐李泌。颖王[③]恃宠固求，上不许曰："汝饱食肉，先生绝粒[④]，何争耶？"时诸王请联句[⑤]，颖王曰："先生年几许，颜色似童儿。"信王[⑥]曰："夜枕九仙骨，朝披一品衣。"一王[⑦]曰："不食千钟粟[⑧]，惟餐两颗梨。"上曰："天生此间气[⑨]，助我化无为。"后肃宗恢复两京[⑩]，泌之策为多。至德宗时拜相，时人方之张子房。

【解】唐史上记：处士李泌有道行，隐居嵩山，曾侍肃宗于东宫。及肃宗即位，遣人各处求访，得之于衡山。既到，待以宾友之礼，就着他在内殿居住，便于谘访。曾一寒夜，肃宗坐地炉，自烧两个梨以赐李泌。颖王年幼，倚着肃宗宠爱，要这烧的梨吃。肃宗不肯与他，说道："你终日饱食肉味，先生休粮绝粒，不吃烟火食，故我以此梨赐之，如何来争。"颖王乃止。此时诸王因请联诗以赠李泌，颖王先倡一联云："先生年几许，颜色似童儿。"说李泌年纪多少，而颜色美好，只如童子一般，此美其有道养形，异于常人也。信王接一联云："夜枕九仙骨，朝披一品衣。"说李泌夜间则枕九仙的骨睡着，昼则穿一品极贵的衣服。此美其以隐逸而兼尊贵也。有一王又接一联云:“不食千钟粟,惟餐两个梨。”说李泌固辞相位,不肯受千钟俸禄,惟今夜二梨之赐则受而食之。此美其高尚之志也。于是肃宗凑成末联云:“天生此间气,助我化无为。”说李泌非是凡人,乃上天间气所生,以助我成无为之化也。其后肃宗收复两京平安史之乱,李泌之谋策居多。至德宗时为宰相,功业尤著。时人把他比汉时张子房,为神仙宰相也。夫李泌一山人[11]尔,而肃宗乃呼为先生,称为间气,至烧黎以赐之,此所谓以天子而友匹夫者也。

【注释】

①此篇出自李繁《邺侯家传》。记述唐肃宗礼遇处士李泌烧梨赠诗的故事。

②李泌(722—789):字长源,其先辽东襄平(今辽阳)人,后徙居京兆(唐长安),唐玄宗天宝时为太子供奉。因遭杨国忠之忌而遁归名山,肃宗即位后召请,拜银青光禄大夫。复归隐湖南衡山。代宗时任检校郎中、杭州刺史,德宗时任中书侍郎、平章事。封邺县侯。

③颍王:名璬(jiǎo),玄宗第十三子,读书有文辞。开元十三年(725)封颍王。

④绝粒:不吃不喝,断绝饮食。

⑤联句:赋诗时人各一句或几句,相联而合成一篇,叫联句。

⑥信王:名瑝(huáng),唐玄宗第二十三子。初名沔(miǎn),开元二十三年(735)封为信王。

⑦一王:据《邺侯家传》指汴王,名璥(jǐng),唐玄宗第三十子,开元二十

五年(737)封汴王。按此事指肃宗即位以后召请李泌,时汴王已死。

⑧千钟粟:钟,古代容量单位,六斛四斗为一钟。千钟粟,指很多的俸禄米。

⑨间气:即闲气。古以五行附会人事。正气为帝,闲气为臣。

⑩安史之乱后,玄宗逃蜀,肃宗在灵武即位后,陆续收复长安和洛阳。

⑪山人:山居之人,多指隐士。

【译文】

唐代史书上记载:唐肃宗派人到衡山把处士李泌召来,住在皇帝宫廷。肃宗曾在晚上坐于地炉旁,烧了两个梨赐给李泌吃。颖王恃着肃宗的宠爱要这两只梨。肃宗不给,说:“你饱食肉味,先生不吃不喝,你为什么要争呢?”当时诸王共同作诗赠李泌。颖王说:“先生年几许,颜色似童儿。”信王说:“夜枕九仙骨,朝披一品衣。”另一王说:“不食千钟粟,惟餐两颗梨。”肃宗说:“天生此间气,助我化无为。”后来肃宗收复两京,李泌贡献的计策最多。到唐德宗时,官至宰相。当时人把他比作张良。

不受贡献[1]

唐史纪：宪宗[2]初即位，升平公主[3]献女口。上曰："上皇不受献，朕何敢违！"遂却之。荆南[4]献毛龟。诏曰："朕永思理本，所宝惟贤，至如嘉禾神芝[5]，珍禽奇兽，皆虚美尔，所以《春秋》不书祥瑞。自今勿复以闻，其有珍奇，亦毋得进。"

【解】唐史上记：宪宗初即帝位，升平公主献妇女十五人进宫答应[6]。宪宗说道："我父皇在时，不受人的贡献，朕何敢违其教。"遂却而不受。又荆南地方献两个绿毛龟。宪宗又下诏书却之，说道："朕长思治道之本，惟贤人为可宝，取其能安国家，利百姓也。至如嘉禾、灵芝、珍禽奇兽，徒为耳目观美，都是无用之物，何足宝乎！所以孔子作《春秋》之书，并不曾记一件祥瑞，正以其无益也。自今以后，天下有司，再勿以祥瑞奏闻，其有珍禽奇兽，如毛龟之类者，亦不许进献。"盖天下之物，恒聚于所好，而声色、祥瑞、珍奇三件，尤人情所易溺者。人主一有所好，则邪佞小人，遂得以乘其隙而投之，欲端一开，辟之堤防溃决，不可复塞，终至于心志蛊惑，政事荒怠，亡身复国而不悟,可悲也哉! 今宪宗即位之初,即能一切拒绝如此,其高识远志,诚超出乎寻常万万矣!

【注释】

①此篇出自《资治通鉴》卷236,唐纪五十二,永贞元年(805)。《旧唐书》卷14宪宗上。记述唐宪宗遵循父皇身教,不受贡献,同时拒绝祥瑞的故事。

②宪宗:李纯(778—820),顺宗长子。公元805—820年在位。《新唐书》卷7称"宪宗刚明果断,自初即位,慨然发愤,志平僭叛,能用忠谋,不惑群议,卒收成功。"晚年好神仙,竟下诏"天下求方士"。最终被宦官毒死。此后,唐朝遂为宦官专权。

③升平公主:唐代宗长女,驸马都尉郭暧之妻。宪宗郭妃之母。

④荆南:荆州为古九州之一。北据荆山,南及衡山之阳,属湖广行省。

⑤嘉禾神芝:生长得特别茁壮的禾稻,古时认为是吉祥的象征。神芝即灵芝。古代以灵芝为瑞草。

⑥答应:明清时代宫女名号,犹如西汉宫中的家人子和东汉宫人采女。地位低下,仅供使令。

【译文】

唐代史书上记载:宪宗刚刚即位,升平公主就献上妇女十五人做宫女。宪宗说:"我父皇在世时,就不接受奉献,我怎敢违背其身教!"于是拒绝了。荆南又献上两个绿毛龟。皇上下诏说:"我常常思考治理国家的道理,所要宝贵的财产唯有贤德之才。至于嘉禾灵芝、珍禽异兽之类,都是虚假的美好,所以《春秋》都不写祥瑞。从今以后,不要再拿这种事上报,他们有珍奇之物,也不得进献。"

遣使赈恤[1]

唐史纪：宪宗四年，南方旱饥，命左司郎中[2]郑敬等为江淮、两浙、荆湖、襄鄂等道宣慰使[3]，赈恤之。将行，上戒之曰："朕宫中用帛一匹，皆籍其数，惟赒救百姓，则不计费。卿辈宜识此意，勿效潘孟阳[4]饮酒游山而已。"

【解】唐史上记：宪宗四年，南方大旱，百姓饥荒。宪宗命左司郎中郑敬等为江淮、两浙、荆湖、襄鄂等处各道宣慰使之官，分头去赈济饥民。郑敬等奉命将行，辞朝。宪宗戒谕他说："朕于宫中用度，虽一帛之微，必登记其数，惟恐浪费。独于赒济百姓，则不计所费，虽多弗惜，盖以民命为重，必使百姓受惠，而库藏盈缩，所以不暇计也。卿等此行，宜体朕此意，凡所至饥荒之处，务要量其轻重，备查户口，逐一散给，必使百姓每个人都沾实惠才好。若前此所遣潘孟阳出去只饮酒游山，而以赈济委之他人，全不体朝廷爱民之意，深负委托，卿等切勿效之。"盖国依于民，而民依于食，使民有饥荒，而不为赈恤，则死者固多，而民心亦离散矣！将何以为国乎？宪宗有见于此，故薄于自奉，而厚于恤民，可谓知用财之道，得保邦之本矣！宜其为有唐之令主也欤！

【注释】

①此篇出自《资治通鉴》237，唐纪五十三，元和四年(809)。并见《新唐书·潘孟阳传》。记述唐宪宗及时派遣使臣，赈济灾民的故事。

②左司郎中：尚书仆射之下属官员，从五品。

③宣慰使：唐宪宗平淄青节度留后李师道，分其地为三镇，曾置淄青十二州宣慰使，非常制。以掌地方军民事务。

④潘孟阳：大历末，官右庶子。永贞元年八月，宪宗即位，遣孟阳以度支、盐铁转运副使宣慰江淮，并察诸使治否。孟阳从仆三百人，所至会宾客，流连倡乐，元和元年(806)三月使还，罢其度支、盐铁转运副使。

【译文】

唐代史书上记载：唐宪宗元和四年，南方大旱，百姓饥荒。于是命左司郎中郑敬等人，为江淮、两浙、荆湖、襄鄂等各道的宣慰使，去赈济抚恤他们。将要出发，皇上告诫他们说："我在宫里用一匹帛都要登记账目，唯独对周济百姓的费用在所不计。你们应当体会朝廷的意思，不要效仿潘孟阳只是吃酒游山而已。"

延英忘倦[1]

唐史纪：宪宗尝与宰相论治道于延英殿，日旰（gàn）[2]暑甚，汗透御服，宰相恐上体倦，求退。上留之，曰："朕入宫中，所与处者，独宫人近侍耳。故乐与卿等且共谈为理之要，殊不知倦也。"

【解】唐史上记：宪宗励精图治，尝与宰相讲论治天下的理论于延英殿，直到日暮尚未还宫。天气又甚暑热，汗透了皇上的袍服。宰相李绛[3]、裴度[4]恐上御体劳倦，因求退出。宪宗留之，说道："朕回到宫中，所与相处者，不过是宫女及左右近侍耳。安得对贤士，闻正言。所以每日喜与卿等且共谈论为治的要务，甚是有益，不知疲倦也。"夫人君一日之中间，事有万几，须是常常接见贤臣，从容讲论，方得停当。所以尧舜之时，君臣一体，都俞吁咈（xū fú）[5]于一堂之上。文王自朝至于日中昃，不遑暇食，万世称为圣明之君。今观宪宗之勤政如此，亦可谓知君者，宜其能削平僭乱[6]，所向归服，有光于前烈也。

【注释】

①此篇出自《资治通鉴》卷238，唐纪五十四，元和七年（812）。又见《新唐书·李绛传》。记述唐宪宗与宰相在延英殿讨论治道不知疲倦的故事。

②日旰：日已晚。

③李绛(764—830)：赵郡赞皇(今河北赞皇)人。贞元进士。宪宗初，任监察御史、翰林学士等职。他直言敢谏，尤疾宦官专横。元和六年(811)任中书侍郎、同中书门下平章事。在相位期间，处理强藩归顺，表现出非凡才能。

④裴度(765—839)：河东闻喜(今属山西)人，贞元进士。由监察御史升为御史中丞。藩镇作乱，屡次出师失利，群臣争请罢兵，他力主讨伐。后升门下侍郎、宰相。元和十二年(817)，督师破蔡州，擒吴元济。使藩镇割据一度平息，封晋国公。

⑤都俞吁咈：皆为古汉语叹词，《书经》尧典、舜典多用。都，赞美；俞，同意；吁，不同意；咈，反对。本以表示尧、舜、禹等讨论政事时发言的语气，后用以赞美君臣论政问答，融洽雍睦。

⑥僭(jiàn)：越分，冒用在上者职权行事。封建王朝以正统自居，称割据对立的王朝为僭伪，亦即僭乱。

【译文】

唐代史书上记载：宪宗曾在延英殿与宰相议论治理天下之道，直到太阳偏西天气炎热，汗水湿透皇上的衣服。宰相恐怕皇上身体疲倦，请求退下。皇上留住他们说："我回到宫里，所与相处的人，只是宫女、宦官。所以，喜欢和你们共同议论治国之道的要领，唯独不知道疲倦。"

淮蔡成功[①]

唐史纪：吴元济[②]反淮西，宪宗命发兵讨之。是时诸道节度使及宰相李逢吉[③]，皆与元济交通，多请罢兵，惟裴度力主讨贼之议。上曰："吾用度一人，足破此贼。"遂以度为相。师累岁无功。度请自诣行营。上许之。度陛辞。言曰："臣若灭贼，则朝天有期，贼在，则归阙无日。"上为之流涕，解通天御带以赐之。度至淮西，身自督战。由是诸将效力。李愬[④]夜袭蔡州，擒元济，淮西遂平。韩愈[⑤]奉诏撰《平淮西碑》，曰："凡此蔡功，惟断乃成。"

【解】唐史上记：淮西节度使吴元济造反，宪宗命将发兵去征剿他。当时诸道节度使，多有元济的党羽。朝中宰相李逢吉，也与元济交通，多替他游说，奏请罢兵。惟有御史中丞裴度，晓得淮西决然可取，力劝宪宗讨贼。宪宗说："我只消用裴度一人，就足以破此贼，决不罢兵。"遂用裴度做宰相，讨贼甚急。出兵已经二年，还未见成功。裴度自愿亲往淮西营里督战。宪宗大喜，就命他充淮西宣慰招讨使。裴度临行辞朝，面奏说："臣此去若能灭贼，才有回来朝见之期。若此贼不灭，臣义在必死，终无归阙之日矣！"宪宗听说，不觉为他流涕。因解自家束的通天犀带一条赐他，以宠其行。裴度既到淮西，宣谕朝廷的威令，催诸将进兵讨贼。于是，诸将人人效力，每战有功，遂擒元济。淮西用兵，凡累年而不克。群臣请罢兵者甚众。若非宪宗之明，独断于上，裴度之忠，力赞于下，则淮西几无成功矣！所以韩愈奉诏，撰平淮西碑文纪功，其词有云："凡此蔡功，惟断乃成。"盖美宪宗之能断而成功也。然则人君欲定大事，建大功，岂可以不断哉！

【注释】

①此篇出自《资治通鉴》卷240，唐纪五十六，元和十二年(817)。又见于《新唐书·裴度传》。记述唐宪宗任用裴度、平定淮西的故事。

②吴元济（783—817)：淮西节度使吴少阳之子。少阳死，他匿不发丧。以父病请求皇帝由他主兵。因朝廷不允，遂于元和九年(814)，自领军务，割据蔡州（今河南汝南），后被李愬攻破，被俘，斩于长安。

③李逢吉：系出陇西。元和时，迁给事中。后拜门下侍郎，同中书门下平章事。居于相位，与吴元济私自勾通，宪宗知而恶之，出为剑南东川节度使。

④李愬(773—821)：字元直，洮州临潭（今甘肃临潭）人。元和九年，吴元济据申（今河南信阳）、光（今潢

川)、蔡三州叛变,政府讨伐,连年不克,他上表自请参战。十二年冬,乘雪夜突袭蔡州,俘吴元济,成为战史上奇袭范例。

⑤韩愈(768—824):唐代杰出的散文家、诗人和哲学家。字退之,昌黎人,世称韩昌黎。贞元八年进士。元和十二年,随裴度平定淮西。

【译文】

唐代史书上记载:吴元济叛于淮西,宪宗下令发兵征讨他们。当时,诸道节度使和宰相李逢吉,都与吴元济私相交通,多请朝廷罢兵,唯有裴度坚决主张讨伐叛逆。皇上说:"我用裴度一人,足以击败此贼。"于是就以裴度为宰相。官军连年没有取得战绩。裴度请求亲自到行营。皇上答应了他。裴度告辞皇上说:"我若消灭此贼,就回朝有期,如果叛贼还在,就归朝无日了。"皇上为之而痛心流泪,解下了自己的通天御带赐给他。裴度到淮西,亲身督战,由此而激发了诸将奋身效力。李愬雪夜下蔡州,生擒了吴元济,淮西就平定了。韩愈奉诏撰写《平淮西碑》的碑文,指出:"凡此蔡功,惟断乃成"。

论字知谏[1]

唐史纪：穆宗[2]见翰林学士柳公权[3]书迹，爱之，问曰："卿书何能如是之善？"对曰："用笔在心，心正则笔正。"上默然改容，知其以笔谏也。

【解】唐史上记：穆宗性好写字，见翰林学士柳公权写的字好，爱之。问说："卿写的如何能这等好？"公权对说"写字虽在手，用笔实在心。心里端正，则笔画自然端正。"公权是个贤臣，因穆宗问他书法，就说在心上。见得凡事都从心里做出来。况人君一心，万化本源。若不是涵养的十分纯正，发出来的政事，岂能一一停当合理。这正是以笔讽谏。穆宗是个聪明之君，就知他是以笔谏。闻之，默然改容起敬。可谓善悟矣！若能体贴此言，真真实实务正其心，常用着柳公权这样人做辅弼之臣，少有阙失，随事箴规，岂不成一代之明君乎！

【注释】

①此篇出自《新唐书·柳公权传》。记述柳公权借与穆宗谈论书法进行笔谏的故事。

②穆宗：李恒（795—824），公元820—824年在位。宪宗第三子。昏庸失德，喜欢击毬、奏乐，追求奢侈放纵的生活，根本不关心朝政。

③柳公权(778—865)：唐代杰出的书法家。京兆华原(今陕西耀州区)人。官至太子少师。他的书法自成一家，笔力刚劲挺拔，与颜真卿并称"颜柳"，"柳骨颜筋"。

【译文】

唐代史书上记载：穆宗看见翰林学士柳公权写的字，很喜爱，就问："你的字怎么能如此之好？"回答说："用笔在于心，心里端正，笔画自然端正。"皇上默默改变了脸色，知道他是借笔来谏诤的。

屏书政要[①]

唐史纪：宣宗[②]尝以太宗所撰《金镜录》[③]授翰林学士令狐绹[④]，使读之，至"乱未尝不任不肖，治未尝不任忠贤"。上止之，曰："凡求致太平，当以此言为首。"又书《贞观政要》[⑤]于屏风，每正色拱手而读之。

【解】唐史上记：宣宗有志法祖图治，他的祖太宗曾将前代治乱兴亡的事迹，编成一书叫做《金镜录》。宣宗一日将这部书授与翰林学士令狐绹，着他在面前诵读。这书中有两句说道："乱未尝不任不肖，治未尝不任忠贤。"说古来天下因甚么就乱亡？只为朝廷错任用了那不好的人。他心心念念罔上行私，行的都是蠹国殃民的事。用了这样人，天下安得不乱。天下因甚么就平治？只为朝廷能任用着那忠良之臣，他心心念念，竭忠事主，行的都是要富国利民的事。若常用这样人，天下安得不治。宣宗听得令狐绹读到这两句言语，喜其切中事理，就止住他，且莫读。说道："大凡人君要求致太平，须要把这两句说话做第一件紧关的事，着实审察，辨别其孰为君子？孰为小人？果然是奸邪的小人，就当斥远了他；果然是忠贤的君子，就当专心信任他。天下岂有不太平的道理？"又见他先朝有《贞观政要》一书，是当

年史臣吴兢编载太宗与贤臣魏征等图治的事迹，遂把来写在屏风上，常时正色拱手，一一诵读。盖以为师法而效仿之也。夫观宣宗留心法祖图治，其切如此，真近代帝王盛事。所以当时称为小太宗[6]，岂虚也哉！

【注释】

①此篇出自《资治通鉴》卷248，唐纪六十四，大中二年(848)。《新唐书·令狐绹传》。记述唐宣宗法祖图治，认真钻研唐太宗著作的故事。

②宣宗：即李忱(810—859)，公元846—859年在位。宪宗第十三子。

③《金镜书》：此书误作《金镜录》，唐玄宗时张九龄所作。唐太宗所撰为《金镜书》。《令狐绹传》："它夜，召与论人间疾苦，帝出《金镜书》：'此太宗所著也，卿为我举其要。'"

④令狐绹(795—872)：字子直，京兆华原(今陕西耀州区)人。宣宗时，为吴兴太守，旋升宰相，辅政十年。累官至吏部尚书，右仆射，封凉国公。

⑤《贞观政要》：唐代著名史学家吴兢(670—749)撰。记贞观年间，唐

太宗与魏征、房玄龄、杜如晦等大臣45人之间政论答问，以及有关谏诤事迹、当时政治设施等等。此书历来受到后世统治者乃至日本皇家、幕府重视，多被用作讲读教材。

⑥小太宗：《通鉴》卷249，大中十三年(859)，称“宣宗性明察沉断，用法无私，从谏如流，重惜官赏，恭谨节俭，惠爱民物，故大中之政，讫于唐亡，人思咏之，谓之小太宗”。对唐宣宗这个评价，溢美之词较多。

【译文】

唐代史书上记载：宣宗曾以唐太宗编撰的《金镜书》交给翰林学士令狐绹，让他诵读，读到“乱未尝不任不肖，治未尝不任忠贤”。宣宗让他停下来，说：“凡是要求达到天下治平，应当以这句话为首要之点。”并把《贞观政要》的内容写在屏风上，常常严肃、恭敬地阅读它。

焚香读疏[①]

唐史纪：宣宗乐闻规谏。凡谏官论事，门下封驳[②]，苟合于理，常屈意从之。得大臣章疏，必焚香盥(guàn)手[③]而读之。

【解】唐史上记：宣宗励精求治，乐闻臣下箴规谏诤之言。凡谏官议论政事，及门下省给(jǐ)事中[④]等官，遇诏敕之出，以为不可而论驳封还者，苟所论所驳有合于理，则自己虽以为是，亦每屈己意以从之，未尝偏执。每得大臣所奏的章疏，必焚香洗手，致其诚敬，而后展读。夫忠言逆耳，庸主所不乐闻。然使规谏尝闻，则政事无缺，实可乐也。宣宗乐于闻谏，屈己从人，可谓明矣！至于大臣涉历既多，虑事尤熟，又非庶官[⑤]之比，故读其章疏，必加诚敬。盖诚敬则精神收敛，精神收敛则意见精详，可以察其言之当否？以为施用非徒敬其章疏而已也。宣宗图治若此，故大中之政，人思咏之，以为继美太宗，岂不足为贤君哉！

【注释】

①此篇出自《资治通鉴》卷249，唐纪六十五，大中十一年(857)。记述唐宣宗乐闻规谏，极其尊重大臣奏章的故事。

②门下封驳：唐中央最高权力机构中书、门下和尚书三省长官同为宰

百六八

焚香讀疏
唐宣宗

相。中书出令，门下封驳，尚书行政。门下省长官为侍中，掌献纳谏正等事，有封驳之权。对诏敕认为不当者，封还加以驳正。

③焚香盥手：焚香，即烧香，焚香始于汉。盥手，为洗手。以手承水冲洗为盥。焚香盥手是表示诚敬之意的行为。

④给事中：官名。唐代门下省主官之下的官职。

⑤庶官：众官，百官。

【译文】

唐代史书上记载：宣宗喜欢听到谏诤。凡是谏官议论政事，门下省给事中等官员对诏敕的内容，以为欠妥因而论驳封还，只要讲的合乎道理，往往屈己之意而接受驳议。收到大臣所上奏疏，必定要焚香洗手以表达诚挚之意，然后阅读。

敬受母教[1]

宋史纪：太祖[2]尊母南郡夫人杜氏为皇太后[3]。太祖拜殿上，群臣称贺。后愀然不乐。左右进曰："臣闻母以子贵，今子为天子，胡为不乐？"后曰："吾闻'为君难'。天子置身兆庶之上，若治得其道，则此位可尊。苟或失驭[4]，求为匹夫[5]不可得，是吾所以忧也。"太祖再拜，曰："谨受教。"

【解】宋史上记：太祖既即帝位，尊母杜氏为皇太后。太祖拜上尊号，群臣皆称贺。太后愀然有忧愁不乐之色。左右之人问说："臣闻母以子贵，今子既为天子，太后为天子之母，其贵无以加矣！何故反有不乐？"太后说："吾闻古人说'为君难'。盖为天子者，置其身于亿兆众庶之上，若治之有道，则民皆爱戴，而尊位可以常保；倘或治失其道，以致兆庶离叛，则虽求为匹夫，亦不可得矣！今我子虽为天子，吾方忧天位之难居，岂可以为乐乎！"太后这说话，虽是告群臣，实有儆戒太祖之意。故太祖即再拜谢，说："谨当受教。"自是，即位之后，夙夜畏惧，窒欲防非，重道崇儒，缓刑尚德，以忠厚立国，推赤心置人。故能削平僭乱，创业垂统。于戏[6]，若宋太祖者，可谓大孝矣！

【注释】

①此篇出自《宋史·后妃上·太祖母昭宪杜太后》。记述赵匡胤夺取政权后，杜太后激发他警惕丧失政权的故事。

②太祖：赵匡胤(927—976)，公元960—976年在位。涿州(今河北涿州)人。后周时，任殿前都点检，领宋州归德军节度使，率军抵御契丹。至陈桥驿(今河南新乡市封丘县东南部)，发动兵变。黄袍加身，即帝位，国号宋，是为宋太祖。

③南郡夫人杜氏：定州安喜五代后周显德年间，赵匡胤为宋国军节度使，封其母杜氏为南阳郡太夫人。太祖即位，尊为皇太后。

④失驭：同"失御"。丧失统治能力。

⑤匹夫：平民，庶人。

⑥于戏：于，助词，无义。戏通"呼"，即呜呼！

【译文】

宋代史书上记载：宋太祖尊其母南阳郡夫人杜氏为皇太后。太祖叩拜于殿上，群臣恭贺。太后满怀忧思而不欢乐。身边群臣进言，道："我们听说母以子贵，今天儿子成为天子，您怎么反而不高兴呢？"太后说："我听说'为君难'，天子置身于亿兆庶民之上，如治理能得其道，这君位就可以尊崇，假如失去控制，再想当一平民也不可能了！此我之所以忧虑呀！"太祖再次叩头，说："谨当受教。"

解裘赐将[1]

宋史纪：王全斌[2]之伐蜀也，属汴京[3]大雪，太祖设毡帏(wéi)[4]于讲武殿，衣紫貂裘帽以视事。忽谓左右曰："我被服如此，体尚觉寒。念征西将士，冲冒霜雪，何以堪处？"即解裘帽，遣中使驰赐全斌。仍谕诸将曰："不能遍及也！"全斌拜赐感泣，故所向有功。

【解】宋史上记：太祖遣大将王全斌帅师征蜀。时冬月天寒，京城大雪。太祖设毡帏于讲武殿中，身穿着紫貂裘，头戴着紫貂帽，临朝视事。忽然谓左右说："我穿戴这般样温暖的物，身上尚觉寒冷！想那西征的将士，冲冒霜雪，又无有这样衣服，怎么当得

这等寒冷！即时将所服裘帽解下，遣中使马上赍去，赐与全斌。又晓谕他部下的将士，说："诸将寒苦，朝廷无不在念，奈裘帽有限，不能人人遍及也。"于是全斌拜受赐物，感激泪下。诸将亦皆感激，相与戮力图报，故所向皆捷，卒能平定西蜀。

夫宋太祖有解衣之恩，及于将帅，遂能得其死力，成功如此。可见人主要边将成大功，不可不体其情，厚其赏，以劝之也。

【注释】

①此篇出自《续资治通鉴长编》卷5，乾德二年(964)十二月。《宋史·王全斌传》。主要记述宋太祖感冬暮雪寒，立即解衣赐予西征将士的故事。

②王全斌(908—976)：北宋初年将领，并州太原(今属山西)人。乾德二年冬，任西川行营前军都部署，率军伐蜀，四年正月蜀主孟昶奉表请降。

③汴京：北宋以汴州为京都，故称汴京。即今河南开封市。

④毡帏：兽毛制成的毡片帏幕。

【译文】

宋代史书上记载：王全斌伐蜀之际，适值汴京大雪。太祖设毛毡帐幕在讲武殿，穿着紫貂的皮衣皮帽处理政事。忽然对身边的人说："我穿着这样，身上还觉得寒冷。想念西征将士，冒着霜雪冲击，怎么承受？"就脱下貂皮衣帽，派遣宦官马上赐给全斌。还要告诉诸将，说："不能普遍给予了！"全斌拜谢感动流涕，因而所向取胜。

碎七宝器[1]

宋史纪：太祖尝见蜀主孟昶[2]宝装溺器[3]，命撞碎之。曰："汝以七宝饰此，当以何器贮食？所为如是，不亡何待！"

【解】宋史上记：太祖平蜀之后，曾见蜀主孟昶，有一个溺器，是七样宝贝装成的。太祖见了大怒，命左右打碎之。说道："七宝是珍贵之物，就做饮食之器也是奢侈不该的！汝却把来装饰溺器，不知又用何等的器皿去盛饮食？其侈用暴殄（tiǎn）[4]，一至于此。欲家国不至败亡，岂可得乎？"夫太祖为创业之君，其言真足以垂戒万世！人君推此，件件都该崇尚朴素，乃为爱惜福禄，保守国家之道也。

【注释】

①此篇出自《宋史·太祖本纪》。又见于《宋朝事实类苑·祖宗圣训》。记述宋太祖撞碎蜀主孟昶宝装溺器的故事。

②孟昶(919 — 965):五代后蜀国主,公元 934 — 965 年在位。
③宝装溺器:溺同“尿”,小便。谓孟昶所用七宝装饰溺器。
④暴殄:任意糟蹋、残害。

【译文】

宋代史书上记载:太祖曾看到后蜀国主孟昶装上宝石的溺器,命令打碎它!说:“你以七种宝石装饰这个,该用什么样的器皿贮藏食物呢?如此所作所为,不亡国还等什么!”

受言书屏[1]

宋史纪：太祖征处士王昭素为国子博士[2]。召见便殿，年七十余矣。令讲乾卦，至九五飞龙在天[3]，昭素援引证据，因示讽谏微旨。太祖大悦。问治世养身之术。对曰："治世莫若爱民，养身莫若寡欲。"太祖爱其言，书于屏几。

【解】宋史上记：太祖之时，有个处士姓王名昭素。太祖素知他有学行，征聘他来做国子监博士。既至，召他进见于便殿。此时昭素年七十余岁矣。太祖命他讲《易》经的"乾卦"，至第五爻飞龙在天，乃是人君之象。昭素讲论君道，援引古时帝王以为证据，遂阴寓讽动劝谏之意。太祖见他忠直，大喜悦他。就问他治天下与养身的道理。昭素对说："治天下，莫如爱恤百姓；养身体，莫如寡少嗜欲。"盖民为邦本，本固则邦宁。故治国之道，莫如爱民也。欲为身之害，害少则身安。故养身之道，莫如寡欲也。太祖爱他说得有理，将这两句言语，书于屏风及几案上。欲时时警省，不致遗忘也。然寡欲爱民，固皆致治之要。而寡欲一言，又为爱民之本。盖自古百姓不安，皆因人主多欲。或好兴土木，或恣意声色，或妄开边衅，或求珍奇玩好之奉，或耽驰骋游幸之娱，此等事，皆不免伤民之财，劳民之力。上之所欲无穷，下之所需难继，以致海内骚然，百姓怨叛，而君身不可保矣！以是知人主必爱身，乃可以爱民。而安百姓，亦所以安其身也。

【注释】

①此篇出自《续资治通鉴长编》卷11，开宝三年(970)三月辛亥。又见于《宋史·王昭素传》。记太祖召处士王昭素议论《易》的故事。

②王昭素(894—982)：开封酸枣(今河南延津)人。博通九经，兼习《老》、《庄》，尤精《诗》、《易》，著《易论》33篇。太祖以处士王昭素为国子博士，留月余，数求归。故致仕，年八十九，卒于家。

③飞龙在天：乾卦卦辞："飞龙在天，利见大人。"意谓龙飞在天上，见贵人有利。"飞龙在天，上治也"。意谓"飞龙在天"比喻在上位治国。

【译文】

宋代史书上记载：太祖征用处士昭素为国子博士，召见于便殿，年已七十多岁了。令他讲"乾卦"，讲到"九五飞龙在天"。昭素援引证据，因而暗示讽谏的精微含意。太祖大为欣悦。又问到治世养身之术。回答说："治世莫如爱民，养身莫如寡欲。"太祖喜欢他的话，就写在屏风和茶几上。

戒主衣翠[1]

宋史纪：永宁[庆]公主[2]尝衣贴绣铺翠襦(rú)入宫中[3]。太祖谓曰："汝当以此与我，自今勿复为此饰。"公主笑曰："此所用翠羽[4]几何？"太祖曰："不然。主家服此，宫闱戚里必相效。京城翠羽价高，小民逐利，展转贩易，伤生浸广，实汝之由。汝生长富贵，当念惜福，岂可造此恶业之端？"公主惭谢。

【解】宋史上记：太祖的女永宁[庆]公主，曾穿一领贴金铺翠的襦(襦，短衣也。)入宫中。太祖嫌其奢侈，向公主说道："汝可解此襦与我。自今以后，再不要如此装饰。"公主笑说："此襦所用翠羽几多，而官家以为过费。"太祖说道："我之意非专为汝一襦而惜也。主家既穿此衣，宫中妃嫔，及皇亲贵戚每看见，必都相仿效，所用翠羽必多。京城中翠羽之价必贵。百姓每逐利，见此物可以取利，必然都去捕捉那翠鸟，展转贩卖，杀生害命，皆汝此衣有以致之。其罪过多矣。汝生长富贵，不知艰苦，须当思爱惜受用，以图长久。岂可造此恶业之端，自损己福耶！"公主见太祖说得激切，乃惶恐谢罪。

夫宫闱之好尚，系四方之观法，古语说道："宫中好高髻，四方高一尺；宫中好广眉，四方且半额；宫中好大袖，四方至匹帛。”言好尚之不可不慎也。若宫闱之中，服饰华丽，用度奢侈，则天下化之，渐以成风，坏风俗，耗财用，折福损寿，其害有不可胜言者矣，岂但如宋祖所谓戕害物命而已哉！大抵创业之君，阅历艰辛，唯恐享用太过。后世子孙，且有鄙而笑之者矣！吁！可不戒哉！

【注释】

①此篇出自《续资治通鉴长编》卷13，开宝五年(972)秋七月。记述宋太祖指责公主，勿复穿翠羽衣襦的故事。

②永庆公主：宋太祖陈国大长公主，开宝五年封永庆公主，下嫁右卫将军、驸马都尉魏咸信。

③翠襦：翠，鸟名，青绿色。襦，自膝以上短衣。

④翠羽：翡翠之羽。翡翠是动物名，翠鸟。青绿色鸟羽。

【译文】

宋代史书上记载：永庆公主曾穿着贴绣铺翠的上衣进入宫中。太祖对她说：“你应当把这件衣服给我，从今以后不要再这样装饰。”公主笑道：“这件衣服所用的翠羽才有多少？”太祖说：“不然！主家穿这样的衣服，宫廷贵戚之间必定互相效仿，京城青色鸟羽价格就要提高，小百姓追逐私利，辗转贩卖，伤害生灵的事就逐渐扩大，实际是由你带的头。你生长于富贵环境，应该珍惜幸福，怎么能造成这种坏事的起端呢？”公主惭愧谢罪。

竟日观书[1]

宋史纪：太宗[2]勤于读书，自巳至申，然后释卷。诏史馆修《太平御览》[3]一千卷，日进三卷。宋琪[4]以劳瘁为谏。帝曰："开卷有益，不为劳也。朕欲周岁读遍是书耳。"每暇日，则问侍读吕文仲[5]以经义，侍书王著[6]以笔法，葛湍以字学[7]。

【解】宋史上记：太宗勤于读书，每日从巳时看书起，直到申时。然后，放下书卷。诏史馆儒臣，采辑古今事迹，纂修成一书，叫做《太平御览》，共有一千卷。每日进三卷。太宗观览，日日如此。其臣宋琪以看书勤苦，恐劳圣体为劝。太宗说："天下古今义理，尽载书卷中，但开卷观看，就使人启发聪明，增长识见，极有进益。虽每日读书，自是心里喜好，不为劳苦也。朕要一年之内，读完这一千卷书，故须一日三卷，乃可读完耳。"每遇闲暇无事日还不肯错过。就召翰林侍读吕文仲，问他以经书上的义理，召侍书王著，问他以写字的笔法，召葛湍问他以字学训解。

夫自古圣人虽聪明出于天赋，莫不资学问以成德。盖古今治乱兴衰，天下民情物理，必博观经史，乃可周知；必勤于访问，乃能通晓。故明君以务学为急，正为此也。观宋太宗勤学好问，不以为劳。若此，其能为太平令主，而弘开文运之盛，有由然哉！

【注释】

①此篇出自《续资治通鉴长编》卷24，太平兴国八年(983)十一月庚辰。又见于《宋朝事实类苑》卷2，祖宗圣训。记述宋太宗天天勤奋读书，编纂大型类书的故事。

②太宗：太祖弟，初名匡义，改赐光义(939—997)，公元976—997年在位。即位二年，改名炅(jiǒng)。在位期间，继续推行统一全国的政策，迫降吴越，灭北汉，对辽用兵屡败。编纂了几部巨型类书，扩大科举取士，增强了重文的风气。

③《太平御览》：是一部篇幅巨大、卷帙浩繁的类书，自太平兴国二年(977)由翰林学士李昉等人开始编纂，用了六年半时间，于八年(983)完成。此书初名《太平总类》，又称《太平类编》、《太平编类》。

④宋琪(917—996)：字叔宝，范阳蓟(今北京大兴)人。太平兴国三年(978)，授太子洗马。八年擢拜右谏议大夫，同判三司。至道二年(996)，拜右仆射。琪素有文学，周知人情，尤通吏术。

⑤吕文仲：字子臧，歙州新安人。少府监丞，预修《太平御览》、《太平广记》、《文苑英华》，改著作郎。太平兴国中，以本官兼翰林侍读寓直御书院，与侍书王著更宿。

⑥王著：字知微。善书，笔迹如媚，颇有家法。太平兴国六年任著作郎、翰林侍书与侍读，更直于御书院。太宗听政之暇，以笔法为意，诸家字体，洞臻精妙。
⑦字学：研究文字形、音、义之学。

【译文】

宋代史书上记载：太宗勤于读书，从巳时读到申时，方才放下书本。诏令史馆学士编纂《太平御览》，共一千卷，每天进呈三卷。宋琪谏言恐过于劳累。太宗说："开卷有益，不算劳累呀！我打算用一年时间读完这部书的。"每逢空暇日，就向侍读吕文仲问经典书义，向侍书王著问书法，向葛湍问文字学。

引衣容直[1]

宋史纪：寇准[2]为枢密直学士[3]，尝奏事殿中，语不合，太宗怒起。准辄引帝衣，请复坐，事决乃退。太宗嘉之曰："朕得寇准，犹文皇之得魏征也。"

【解】宋史上记：宋太宗以寇准为枢密院直学士。寇准为人忠直敢言。一日奏事殿上，不合太宗的意思，太宗发怒起去，欲罢朝回宫。寇准即上去扯住太宗的袍服，请太宗复还御座，决断其事，务要听其言才罢！太宗见他这般耿直，反嘉美他说道："朕得寇准，如唐太宗之得魏征也。"

夫人臣奏事忤旨，至于牵引上衣，以尽其说。为君者若不谅他忠直之心，必以为不敬而怒斥之矣！今太宗不惟不斥，且叹美之。其容人之度如此，所以能使臣下尽言，政事少过，而为宋之贤君也。如太宗者，真无愧于文皇矣！

【注释】

①此篇出自《宋史·寇准传》。记述寇准挽衣留谏，太宗容直嘉美的故事。

②寇准(961—1023)：北宋政治家。字平仲，华州下邽(今陕西渭南东北)人。太宗时任枢密院直学士，宋真宗时任宰相，请帝御驾亲征，

往澶州(今河南濮阳)督战迫辽订澶渊之盟,封莱国公。著有《寇忠愍公诗集》。

③枢密直学士:后唐始置,宋代沿置。掌侍从,备顾问应对,地位次于翰林学士。

【译文】

宋代史书上记载:寇准任枢密直学士时,曾在殿廷奏事中,言语不合,太宗愤怒起身就走,寇准即上前拉住太宗的衣服,请他仍回座上,直到事情定下来才回去。太宗嘉奖他,说:"我得到寇准,犹如唐太宗得到魏征啊。"

改容听讲[①]

宋史纪：仁宗[②]初年，宰相王曾[③]，以帝初即位，宜近师儒，乃请御崇政殿西阁，召侍讲学士孙奭[④]、直学士冯元[⑤]讲《论语》。初诏双日御经筵。自是虽只日，亦召侍臣讲读。帝在经筵，或左右瞻瞩，及容体不正，奭即拱立不讲。帝为竦然改听。

【解】宋史上记：仁宗初年，宰相王曾以帝新即位，当亲近师儒之官，读书勤学，以涵养圣德。乃请临御崇政殿西阁，召侍讲学士孙奭、直学士冯元进讲《论语》。起初，定以双日御筵，后来以学问不宜间断，虽是单日也召侍臣讲读。帝在经筵讲读时，或偶然左右观看别处，或容体少有不端，孙奭即端拱而立，停住不讲。盖恐帝心不在书上，虽讲无益也。仁宗见奭这等诚恳，那怠惰的意思，即时收敛，为之竦然改听。

夫仁宗天资本是粹美，又有贤宰相辅导向学，当时讲官复尽心开发，一些不肯放过。仁宗能敬信而听从之。所以养成盛德，恭俭仁恕，始终如一，而为有宋一代之贤君也。

【注释】

①此篇见于《宋史·孙奭传》。《宋朝事实类苑·祖宗圣训》。记述宋仁宗御经筵稍有失神,立即改容听讲。

②仁宗:赵祯(1010—1063),公元1022—1063年在位。初名受益。在位时辽夏屡次进犯。对西夏以岁币,对辽增纳税以求和。致北宋形成积贫积弱局面。但史称"恭俭仁恕",能"屈己爱民",乃从一定角度比较而言。

③王曾(978—1038):字孝先,青州益都(今属山东)人。景祐二年(1035),拜右仆射,兼门下侍郎、平章事,集贤殿大学士,封沂国公。

④孙奭(962—1033):字宗古,博州博平(今山东茌平西)人。初以经术进,守道自处。仁宗即位,召为翰林侍讲学士,知审官院,判国子监,龙图阁学士。每讲论至前世乱君亡国,必反复规讽。

⑤冯元:翰林学士兼龙图阁学士。乾兴元年(1022)仁宗初御经筵,时任侍讲,曾讲《论语》、《老子》。并参与同修国史。尤精于《易》,与孙奭俱名大儒。

【译文】

宋代史书上记载:宋仁宗即位初年,宰相王曾,认为皇上刚刚即位,应当接近儒师。就请皇上至崇政殿西阁,召侍讲学士孙奭、直学士冯元讲《论语》。起初令双日开经筵。此后,单日也召侍臣讲读。皇上在经筵上,有时左右瞻看,有时态度不够端正。孙奭就拱手而立,不再讲课,皇上马上肃然改变过来,注意听讲。

受无逸图①

宋史纪：龙图阁学士孙奭，尝画《书·无逸》为图以进②。上命施于讲读阁。及作迩英、延义二阁成，又命蔡襄③写《无逸》篇于屏。

【解】宋史上记：仁宗时，有龙图阁学士孙奭，日侍讲读。每至前代治乱，必反复规讽。尝取《书经》《无逸》篇中所载古帝王勤政恤民的事迹，画作一图，叫做《无逸图》，进上仁宗，欲其知所法也。仁宗喜之，命挂在讲读阁里，日日观览。其后，新造迩英、延义二阁成，又命馆阁校勘蔡襄，把《无逸》一篇写在二阁之屏上，使随处皆得观览。

夫《无逸》一书，乃周公告成王的说话，大意欲成王知稼穑勤政事。兢兢业业，不敢自安。能如此，则福祚绵长。不如此，则寿命短促。因举商中宗、高宗、祖甲④、周太王、王季、文王以为法⑤，商纣以为戒，其言深切恳至，实万世人言之龟鉴也。仁宗既受孙奭之图，又命蔡襄书之，盖必有味其言矣！则其观后苑之麦、忍中夜之饥，孰非自此书中得来，所以明君以务学为急。

【注释】

①此篇出自《续资治通鉴长编》卷110，仁宗、天圣九年（1031）秋七月癸

酉。《宋朝事实类苑·祖宗圣训》。记述宋仁宗将《无逸图》书于屏风的故事。

②《无逸图》:《书经·周书》有《无逸》篇,为周公当年戒成王勿贪乐、荒废政事的一篇诰词。以其中故事绘成画图。

③蔡襄(1012—1067):字君谟,兴化仙游(今属福建)人。龙图阁直学士。襄工于书,为当时第一,仁宗尤爱之。以枢密直学士再知福州,闽人刻碑纪德。

④商中宗、高宗、祖甲:指商朝先辈的三代祖宗。

⑤周太王、王季、文王:指周朝建国前的一代先祖。

【译文】

宋代史书上记载:龙图阁学士孙奭,曾画《书经》中《无逸》篇内容为图进献,仁宗命挂在讲读阁中。其后造迩英、延义两阁成,又命蔡襄把《无逸》篇文字写在屏风上。

不喜珠饰[1]

宋史纪：仁宗宫中颇好珠饰。京师珠价腾涌，上患之。一日上在别殿，妃嫔毕集，所幸张贵妃[2]至，首饰皆珠。上望见，举袖掩面，曰：满头白纷纷的，没些忌讳。贵妃惭，起易之，上乃悦。自是禁中更不戴珠，珠价大减。

【解】宋史上记：仁宗时，宫中人好以珠为首饰，采买者多。因此京师中珍珠登时涨起价来。仁宗恐宫中相尚不已，风俗趋于侈靡，思量要革减。一日在别殿上游赏，诸妃嫔们都在左右。有个宠幸的张贵妃到来，头上的头饰都是珍珠。仁宗望见，故意把袖子遮了脸不看她。说道："满头插得白纷纷的，近于不祥之象，好没些忌讳。"张贵妃惭愧，慌忙退去，摘下珍珠首饰，换了别样首饰来，仁宗方才喜悦。从此宫中人只说仁宗厌忌此物，再不敢戴它。京师里珠价登时大减。

夫珠玉珍宝，饥不可食，寒不可衣，而铢两之间，其价不赀。糜费民财以供一时之玩，何益于用？故明君贵五谷而贱珠玉。盖不以无益害有用也。然亦系于人主之好尚何如。观仁宗一言，而珠价顿减，岂待于法制禁令哉？

【注释】

①此篇出自宋马永卿编《元城语录解》卷中，又见于宋胡仔撰《渔隐丛话》后集卷19，和丁传靖辑《宋人轶事汇编》卷1，张后。记述宋仁宗斥责张贵妃奢侈浪费的故事。

②张贵妃：河南永安人。庆历元年(1041)十二月以才人张氏为修媛，宠冠后庭。八年(1048)为贵妃，宠爱日盛，出入车御华楚。至和元年(1054)正月薨，年三十一，谥温成。

【译文】

宋代史书上记载：宋仁宗宫里的人很喜好珠宝装饰，京城的珠宝价格猛涨。皇上很担心这种现象。一天，皇上在别殿，妃嫔们全都到了。仁宗特别宠幸的张贵妃来时，首饰竟是满头珍珠。皇上远远看见，抬起衣袖遮住脸说："满头上白花花的，没个忌讳！"张贵妃感到惭愧，起身去换掉了，皇上这才欣悦。此后，宫里再也不敢戴珍珠，珍珠的价格也就降下来了。

纳谏遣女[①]

宋史纪：仁宗时王德用[②]进二女，王素[③]论之。上笑曰："朕真宗子，卿王旦[④]子，有世旧[⑤]，非他人比。德用实进女，然已在朕左右，奈何？"素曰："臣之忧正恐在陛下左右耳。"上动容，立命宫官遣女。素曰："陛下既不弃臣言，亦何遽耶？"上曰："朕若见其人留恋不肯行，恐亦不能出矣。"顷之，宫官奏宫女已出内东门，上乃起。

【解】宋史上记：仁宗时，王德用判定州，曾取两个女子献入后宫，以悦仁宗之心，仁宗就收留在后宫，这是仁宗差处。那时谏官王素闻知，即奏此女不可收留，劝仁宗去之。仁宗笑对王素说："朕乃真宗之子，卿乃宰相王旦之子。卿父辅佐我父皇，君臣相得，则朕与卿有世好之旧，与别的群臣不同。只得实与卿说，这两个女子委的是王德用进的，但朕已误纳，现在左右服事了，如何去得？"王素奏说："陛下以此女在左右为不可去，不知臣之所忧，正恐此女在陛下左右蛊惑圣心，有累圣德，所以劝陛下去之耳。"仁宗一闻此言，遂自悟其失，竦然动容，即时命宫官打发二女出宫。王素奏说："陛下既已听臣言，少待陛下还宫从容遣之，亦无妨，何必如此急遽。"仁宗说道："待我还宫时，万一此女有留恋不肯去的意思，我那时为情所牵，恐也遣她不成了，不如趁今遣之为易。”少时，宫官来奏，二女子已出内东门去讫。仁宗方才退朝。夫宫禁之事，乃人主之所讳言，而房帷之爱，又人情之所牵恋。今仁宗既纳二女，已经进御，一旦闻王素之谏，即开诚直告，略无回互，割舍所爱，不少迟留，可谓从谏之速而改过之勇矣。此真盛德事也。

【注释】

①本篇出自王巩《闻见近录》、邵博《闻见后录》卷1，并见《宋史·王素传》。记述宋仁宗听从王素的谏言遣送宫女的故事。

②王德用(980—1058)：宋郑州管城(今河南郑州)人，字元辅，曾任殿前左班都虞侯、英州团练使等。仁宗即位后，领安德军节度使，定州路都总管，在定州任内，曾向仁宗进献两女子。

③王素(1007—1073)：宋大名莘县(今属山东)人，字仲仪，真宗时宰相王旦次子。庆历时，累迁知谏院，以论事无所畏惧，获仁宗嘉奖，擢天章阁待制、淮南都转运按察使等官。

④王旦(957—1017)：宋大名莘县人。真宗时任同知枢密院事，参知政事。寇准对他屡加非议，但他却常称寇准之美。天禧元年(1017)罢相，还极力推荐寇准继任。

⑤世旧：世代交谊。

【译文】

宋代史书上记载：仁宗时王德用进献了两个女子，王素上书劝谏，宋仁宗笑着说：“我是真宗皇帝的儿子，你是王旦的儿子，有世代旧交，不能和他人相比。王德用确实进献了女子，但已在我左右侍候了，怎么办？”王素说：“我所忧虑的就是怕这女子在陛下左右侍候。”仁宗改变了态度，立刻命令内宫官员去送走女子。王素说：“陛下既然听取了我的意见，何必这样急促呢？”仁宗说：“我若见到这两个女子留恋不愿走时，也恐怕不能打发走了。”不一会儿，宫官来报告说，宫女已送出内东门了。仁宗才起身回去。

天章召见[①]

宋史纪：仁宗幸龙图天章阁[②]，以手诏问辅臣及御史中丞[③]以上时政阙失，皆给笔札[④]，令即坐以对。时翰林学士张方平[⑤]条对四事，帝览奏惊异，明日更赐手札，问诏所不及者。侍御史何郯[⑥]乞诏两制[⑦]臣僚，自今有闻朝政阙失，并许上章论列。帝嘉纳之。

【解】宋史上记：仁宗曾临幸龙图天章阁，召见辅弼大臣，及御史中丞以上，因此手诏，问诸臣以时政欠阙差失处，都给与纸笔，着他就坐上开写以对。当时诸臣皆有奏答，唯翰林学士张方平条答汰冗兵、退剩员、慎磨勘[⑧]、择将帅四事，帝见其所言，切于治道，深加惊叹。明日早，又赐手敕，询问他昨日诏书

上所不及的事，着他一一奏来。又有侍御史何郯上言，翰林管内外制文的诸臣，原是为备顾问而设，乞诏谕他，今后但是朝政有阙失，得于见闻之真者，并许他上疏论列，直言无隐，以助圣化。仁宗因何郯说的有理，也欣然从之。盖仁宗求治之心甚切，故引见群臣面加咨询，使之条对，惟恐忠谋谠（dǎng）论不得上达。及闻张方平等直言，又复虚心延访，嘉奖听受，所以那时朝政修举，海内治平，为宋朝守成之令主也。

【注释】

①此篇出自《续资治通鉴长编》卷163，仁宗庆历八年（1048）三月，并见《宋史·仁宗本纪三》，记述宋仁宗在天章阁召见大臣听言纳谏的故事。

②龙图天章阁：即龙图阁和天章阁。龙图阁，咸平四年（1001）建。天章阁，天禧四年（1020）建。分别收藏仁宗真宗御制文集、御书等，后置待制、侍讲、学士、直学士等官。

③御史中丞：宋御史台长官。

④笔札：即笔与纸。札，木简，古无纸，书于札。

⑤张方平（1007—1091）：宋应天宋城（今河南商丘）人。字安道，宋仁宗时，任知谏院，直集贤院，知制诰，权知开封府，进翰林学士，御史中丞。

⑥何郯：宋成都人，字圣从。景祐进士，历监察御史、殿中侍御史。言事无所畏惧。英宗朝，移知永兴军及河南府。

⑦两制：指翰林学士知制诰、与其他官员加知制诰者。即内、外两知

制诰。知制诰职司起草治令。
⑧磨勘:宋代官员升转的一种考察方式。

【译文】

宋代史书上记载:仁宗到龙图天章阁,亲自下诏询问辅佐大臣和御史中丞以上官员,当前的政治有何差错,都给纸与笔,让他们就座,写下来回答。当时翰林学士张方平列举了四条,皇帝看了很是惊异,第二天早上又给他写了一个纸条,问昨天手诏中还有什么没有提到。殿中侍御史何郯上奏,请求下诏:内外知制诰官员从今以后听到朝政有差错处,准许上奏陈述。皇帝很高兴地采纳了。

夜止烧羊[1]

宋史纪：仁宗尝语近臣，昨因不寐而饥，思食烧羊。曰："何不取索？"曰："恐遂为例。可不忍一夕之饥而启无穷之杀。"或献蛤蜊二十八枚，枚千钱，曰："一下箸(zhù)[2]费二万八千，吾不堪也。"

【解】宋史上记：仁宗一日对近臣说，朕昨夜因睡不着，腹中觉饥，想些烧的羊肉吃。近臣因问说："何不令人取进。"仁宗说："恐膳房因此遂为定例。夜夜里办下烧羊，以备取用，则伤害物命必多。岂可咨口腹之欲，不忍一夕之饥，而忍于戕害无穷之生命乎！"因此遂止。又一日有献蛤蜊二十八枚者，说一枚价值钱千文。仁宗说："这一下箸之间，就费了二万八千文钱，似此享用无度，我岂能堪。"遂不受其献。仁宗在宋朝最为仁厚之主，观其不忍害物如此，则其不忍于伤民可知。故能致治升平，而享祚(zuò)[3]悠久也。

【注释】

①此篇出自宋魏泰《东山笔录》卷1、宋陈师道《后山谈丛》卷4，记述宋仁宗宁肯饿一夜肚子也不肯做烧羊吃，爱惜民力的故事。

②下箸：用筷子夹菜。箸，筷子。

③享祚：享受皇位。祚，皇位，年岁。

【译文】

宋代史书上记载：仁宗一天曾对近臣说："昨天晚上因为睡不着觉而肚子饥，想吃烧羊肉。"近臣说："为什么不令人去取？"仁宗说："我怕由此成为定例，夜夜要做。岂能因为忍受一晚上的饥饿而无穷的杀害生命。"一次有进献蛤蜊二十八枚，每枚值一千钱。仁宗说："这一顿饭就要费二万八千钱，我不能忍受。"

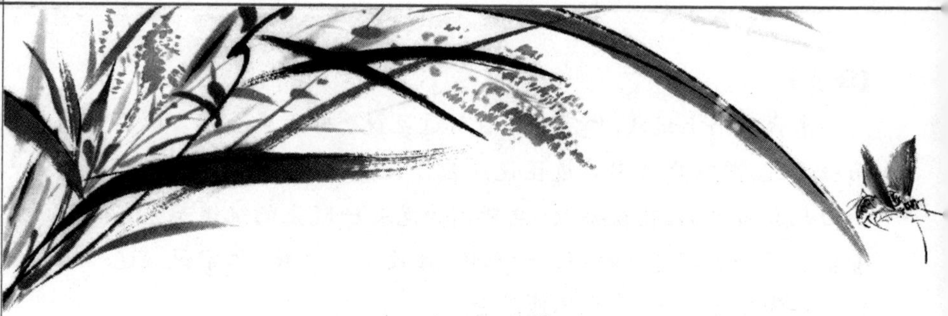

后苑观麦[1]

宋史纪：仁宗幸后苑，御宝岐殿观刈麦，谓辅臣曰："朕作此殿，不欲植花卉而岁以种麦，庶知稼穑之不易也。"

【解】宋史上记：仁宗留意农事，宫中后苑里有空地，都使人种麦，又于其地建一小殿，名叫宝岐殿。麦一茎双穗谓之岐，此丰年之祥，最宜宝重，故以为殿名。每年麦熟时，仁宗亲自临幸后苑，坐宝岐殿看人割麦，谕随驾的辅臣说道："宫殿前似当栽植花卉，以供赏玩，今朕造此殿，独不种花卉，但年年种麦，此是何故？盖以我深居九重，无由知稼穑之艰难，所以种麦于此。要看他耕种耘锄，庶几农家之苦，时时在吾目中也。"大抵四民中，惟农为最苦，春耕夏耘，早作暮息，四体焦枯，终岁勤动，还有不得一饱食者。古人有诗云："锄禾日当午，汗滴禾下土。谁知盘中餐，粒粒皆辛苦。"[2]真可谓格言矣。古之贤君知此，所以极其悯念民力为赈恤，而民卒受其福，后世人主生长富贵，不知稼穑为何物，荒淫佚乐，惟恐不暇，而何暇恤农也。仁宗以天子之尊，亲临农民之事，知惓惓于稼穑如此，则其恭俭仁恕，卓越近代，不亦宜乎！

【注释】

①此篇出自《续资治通鉴长编》卷166，仁宗皇祐元年(1049)五月。记述仁宗于后苑内观看刈麦，亲知稼穑的故事。

②见《唐文粹》卷16，李绅《悯农》。

【译文】

宋代史书上记载：仁宗到后花园去，坐在宝岐殿观看收麦。对辅佐他的大臣说："我建立这座殿，不打算种植花和草，而每年种上麦，就能了解耕种和收获的困难了。"

轸念流民[1]

宋史纪：神宗[2]时东北大旱，诏求直言，郑侠[3]上《流民图》，疏奏。帝反复观图，长吁数四，袖以入内，是夕寝不能寐。翌日遂命开封体勘新法不便者，凡十有八事罢之，民间欢呼相贺。是日果大雨，远近沾洽。

【解】宋史上记：神宗时行了王安石[4]的新法，扰害百姓，民不聊生。到熙宁七年(1074)间，天又大旱，年岁饥荒，东北一带的百姓都流移转徙，死亡离散，其艰难困苦之状，实为可怜。那时有一个官是光州司法参军，叫做郑侠，因考满赴京，在路上看见那流民的模样，心甚不忍，说道：小民这等穷苦，朝廷如何知道，乃照那样子画一本图形，叫做《流民图》。其中有采树叶、掘草根充饥的，有衣衫破碎，沿途讨吃的，有饿死在沟渠的，有扶老携幼流移趁食的，有恋土不去，被在官公人比较差徭拷打枷锁的，有拆屋御房鬻儿卖女变价纳官的，一一都画将出来。至京之日，将这图本进在御前，奏说："只因新法不善，致得百姓这等，伤了天地的和气，所以久旱不雨。如今要天降雨，需是把新法革去不行才好。"神宗将此图反复看了几遍，才晓得新法之害与民间之苦如此，甚是感伤懊悔，长叹数回，袖了入宫，一夜不能睡着。到明日，传旨着在京开封府官，查那新法为民害者共有一十八件，都罢革不行。当时京城内外的百姓，听说如此，以为从此得生，人人欢呼相庆。即日天果大雨，处处田苗俱各沾濡充足。夫人君一去敝政，便能感动天地如此，可见为民祈祷者，在实政，不在虚文，而祖宗旧法慎不可轻变也。

【注释】

①此篇出自《宋史·郑侠传》，记述郑侠上《流民图》，宋神宗纳谏罢除王安石新法不便于民的故事。

②神宗：赵顼（1048—1085），英宗子，公元 1067—1085 年在位，熙宁二年（1069）任用王安石，进行变法，图谋富强。熙宁七年（1074）部分新法停止，死后新法被废。

③郑侠（1041—1110）：宋福州福清（今属福建）人，字介夫，治平进士、任光州（今河南潢川）司法参军。熙宁七年，天久旱不雨，郑侠绘《流民图》上奏神宗，称新法不便。次日罢除新法不便者十八事。

④王安石（1021—1086）：宋杭州临川（今江西抚州）人，字介甫，庆历进士。宋神宗时任参知政事，同平章政事，进行变法。其中以青苗法与免役法实施不当，对民扰害甚大，熙宁七年停止。王安石罢相。出知江宁，八年复出，九年再辞，退居江宁。

【译文】

宋代史书上记载：宋神宗时，东北大旱，下诏征求正直、耿直的话，郑侠上《流民图》的奏疏。皇帝反复观看，长叹多次，把图置于袖内回宫，这天晚上睡不着觉。第二天便命令开封府查看新法不便于百姓者，共有十八件事废除了。老百姓们欢呼互相庆贺，这天果然天下大雨，远近地方都受到了雨水的好处。

烛送词臣[①]

宋史纪：苏轼[②]为翰林学士[③]，尝宿禁中，召见便殿，太皇太后[④]问曰："卿今何官？"对曰："待罪翰林。"曰："何以遽至此？"对曰："遭遇太皇太后皇帝陛下。"曰："非也，此先帝意也。先帝每诵卿文章，必叹曰：'奇才奇才！'但未及进用卿耳。"轼不觉哭失声，太皇太后与帝亦泣，左右皆感涕。已而命坐赐茶，撤御前金莲烛送归院。

【解】宋史上记：苏轼在神宗时，被小人排抑，一向贬谪在外，至哲宗[⑤]登极，才取他做翰林学士。宋朝翰林院设在禁中，每夜有学士一员轮流直宿，以备不时顾问。有一夜遇苏轼该直，哲宗的祖母太皇太后与哲宗同御便殿宣苏轼入见，太皇太后问苏轼："卿如今做甚么官？"苏轼对说："待罪翰林学士。"谓之待罪者，说他不称此官，惟待罪责而已，谦词也。太皇太后又问："学士是美官，卿一向流落江湖，怎能勾到此地位。"苏轼乃归恩于上，说道："臣幸遭遇太皇太后及皇帝陛下见知，故得到此耳。"太皇太后说："非我用卿，乃先帝神宗意也。先帝每读卿的奏疏文章，必赞美说：'奇才奇才！'不久先帝遂晏驾，故未及用卿耳。今我用卿为此官，实承先帝之意也。"苏

二百九

燭送詞臣
皇太后
宋哲宗
蘇軾

轼因此追感先帝知遇，不觉痛哭失声。太皇太后与哲宗也相向而泣。那时左右内臣，也都感伤流涕。太皇太后赐苏轼坐，又赐他茶吃，将退时，撤御前的金莲烛送他归院。看那时人君接见臣下，问答从容，礼数款洽，蔼然如家人父子一般，所以为臣的感激主恩，不觉悲泣。君臣间是何等景象，史称宋家以忠厚立国，又言其竟得尊贤敬士之报，岂不信夫！

【注释】

①此篇出自《宋史·苏轼传》，记述宋哲宗重用苏轼的故事。

②苏轼（1037 — 1101）：宋代文学家，眉州眉山（今属四川）人，字子瞻，号东坡居士。曾任开封府推官，因上言王安石新法不便，下狱，出为黄州团练副使。哲宗即位后，起为起居舍人，翰林学士。

③翰林学士：即翰林侍读学士、翰林侍讲学士，为皇帝进读书史、讲释经义，备顾问。

④太皇太后：即宋英宗高皇后（1032 — 1093），宋亳州蒙城人，生神宗，神宗即位后尊为皇太后，哲宗立，尊为太皇太后。哲宗时年八岁，由太皇太后垂帘听政。

⑤哲宗：赵煦（1077 — 1100），宋神宗子，公元 1086 — 1100 年在位。初即位时由祖母太皇太后听政，起用旧党，罢除新法，称“元祐更化”。元祐八年（1093）太皇太后死，哲宗开始亲政，复起用新党。

【译文】

宋代史书上记载：苏轼任翰林学士时，一天在宫内值夜班，被召见于便殿，太皇太后问他：“你今任何官？”回答说：“待罪翰林。”又问：“何以很快能任此官？”回答说：“受到太皇太后和皇帝的恩遇。”太皇太后说：“不是的，这是先帝的意思。先帝每次读到你的文章，必感叹地说：‘奇才奇才！’还没来得及提拔和任用你罢了。”苏轼不觉失声哭泣，太皇太后和皇帝也哭了。皇帝左右侍候的人也都感动得流了泪。随即命他坐下并赐茶吃，后取下皇帝前面用的金莲蜡烛送苏轼回翰林院。

述语

右善可为法者八十一事，臣等既论次终篇，乃作而叹曰：嗟乎！孟轲称："五百年而后有王者兴"[①]，传曰："千年一圣，犹旦暮也"，讵不信哉！夫自尧舜以至于今，代更几世，主更几姓矣，而其可取者，三十余君而已。中间又或单举一善，节取一行，究其终始，尚多可议。其完善烁懿、卓然可为世表者，才什一耳，可不谓难哉！

天佑我明，圣神继作。臣等尝伏读我祖宗列圣《实录》，仰稽创守鸿规，则前史所称圣哲之事，无一不备者。略举其概：如二祖之开基靖难[②]，身致太平，则尧舜汤武功德兼焉。典则贻休，谟烈垂后，则汉纲唐目[③]，巨细具焉。昭皇帝之洪慈肆宥[④]，培植国脉，则解网泽骨之仁也。章皇帝之稽古右文[⑤]，励精图治，则弘文、延英之轨也。睿皇帝之聘礼处士[⑥]，访问治道，则蒲轮玄纁之举也。纯皇帝之亲爱诸王[⑦]，厚遇郕耶[⑧]，则敦睦友于之风也。敬皇帝[⑨]之延见群臣，曲纳谠直，则揭器止辇之明也。肃皇帝[⑩]之心存敬一，治本农桑，则《丹书》、《无逸》之箴也。皇考穆宗庄皇帝之躬修玄默[⑪]、服戎怀远，则垂衣舞干之化也。其他片言之善，一事之美，又不可以殚述。盖明兴才二百余年，而圣贤之君，已不啻六七作矣。以是方内乂安，四夷宾服，重熙袭洽，迭耀弥光，致治之美，振古罕俪焉。猗欤休哉！岂非乾坤光岳之气，独钟于昭代；河清里社之兆，并应于今日哉！《诗》云："下武维周，世有哲王"，"王配于京，世德作求。"[12]我明世德盖轶有周而特盛矣。今皇上睿哲挺生，膺期抚运，又将觐光扬烈，以远追二帝三王[13]之治焉。臣等何幸，躬逢其盛！

【注释】

①五百年必有王者兴：语出《孟子·公孙丑下》。

②二祖之开基靖难：明太祖朱元璋开创大明王朝基业，实现洪武之治。成祖朱棣，起兵靖难，取代皇位，开创永乐盛世。

③汉纲唐目：汉唐盛世治理国家的纲目，即其典章法制。

④昭皇帝：仁宗朱高炽谥号，成祖长子。继成祖为帝，在位一年。仁宗执行较为宽仁的政策，如放宽刑罚，赈恤灾民，以此称之为"洪慈肆宥"。

⑤章皇帝：宣宗朱瞻基谥号，仁宗长子。稽古右文，谓重视考察古

典政治文化，提倡文治。

⑥睿皇帝：英宗朱祁镇谥号，宣宗长子。聘礼处士，谓天顺二年(1458)，授处士吴与弼左谕德之官位，辞不就职，后送回故里。

⑦纯皇帝：宪宗朱见深谥号，英宗长子。亲爱诸王，指成化二年(1466)，封弟见治为忻王，见沛为徽王。

⑧厚遇郕耶：成化十一年(1475)，复郕王帝号。郕王为宣宗次子，英宗即位，封郕王。正统十四年(1449)八月，土木之变，英宗为瓦剌所俘，皇太后命王监国，九月即皇位，遥尊英宗为太上皇帝，以明年为景泰元年。八年，英宗复辟，废帝为郕王，幽杀于西内。此为谀辞。

⑨敬皇帝：孝宗朱祐樘谥号，宪宗第三子，为中兴令主。他能经常临朝听政，接见群臣，虚心纳谏。

⑩肃皇帝：世宗朱厚熜谥号，宪宗孙。武宗朱厚照死，无子，乃继位为皇帝。

⑪穆宗庄皇帝：朱载垕庙号穆宗，谥庄皇帝，世宗第三子。躬修玄默，清静无为之意。

⑫“《诗》云”四句：出自《诗·大雅·下武》“下武维周，世有哲王”，后人能继承祖先的只有周家，世代都有英明的国君。“王配于京，世德作求”，武王配世德于镐京，世世积德功业成。

⑬二帝三王：指尧舜二帝，夏禹、商汤、周文王三王。

【译文】

以上是善可为法的八十一事，我们既论述终了，则就此书之作而感叹说，哎呀！孟子说：“每五百年之后必有王者兴起”。据经义说：“一千年出个大圣人，犹如一个日夜。”岂不可以证实吗！从尧舜以至于如今，几经世代更替，君主更换了多少家，可是其中值得称许的，不过三十多位国君而已。有的单举一件好事,有的仅摘取其一言一行,然而追究他从始至终的一生,还有很多可以议论的地方。那些具有完美盛德,高超不凡,足可以作为世代表率的才十分之一,可以说是很艰难啊!

上天保佑我大明王朝,神圣相继而起。我们曾经恭敬地阅读二祖列宗先圣的《实录》,以仰慕之情考察了创业守成的宏伟法度,那么前代历史上所称之为至圣明哲的事,没有一点是不具备的。大略举出它的概况:比如,二祖开创基业,举兵靖难,致使天下太平,可以说兼具了尧舜汤武之功业德行。精美的典章制度保留下来,宏伟的谋略功业传之后代,汉唐盛世治理国家的大纲细目都具备了。

昭皇帝的宽宏仁慈,培育了国家命脉,乃是商汤解网之恩,周文王泽及枯骨的仁德!章皇帝的尊古考史,倡导文治,刻苦自励,细心求治,就是唐代的太宗设弘文、宪宗设延英讲学论治的道路呐!睿皇帝的礼聘处士吴与弼,访求治国之道,就是汉武帝蒲轮玄纁的举动呐!纯皇帝的亲爱诸王,厚待兄弟,就是和睦敦厚的风尚呐!敬皇帝的接待群臣,委婉采纳正直的意见,就属于夏禹揭器、汉文止辇的明智!肃皇帝的发自内心,尊崇敬一之道,治理农桑为根本,就是《丹书》、《无逸》的规谏之言!皇父穆宗庄皇帝的清静无为,不用武力,使边远夷狄被治服而向化!

其他,有的是一句话讲得好,有的是一件事传为美谈,又是不可阐述详尽。可是明朝兴起才二百多年,圣贤的君主,已不只六七代了。因此四方边境太平无事,四境以外的夷狄表示臣服,时世清明和乐,一代又一代都富有光彩,致于治世的美景,自古以来很少可以相比。多么美好啊!岂不是天地山川的灵气,唯独集聚于本朝清明之世;民户聚居之地,河清之征兆,都应验于今日了!《诗经》说:"后人能继承祖先的只有周家,世代都有英明的国君。”“武王配世德于镐京,世世代代积德,功业大成。”我大明王朝世代相传的德行超越周朝而特别兴盛啊!当今的皇上聪明睿智,在和平盛世时期继承皇位,又要发扬光辉的业绩,从而遥追尧、舜、禹、汤、文、武的治世。我们亲身遇到这个盛世,是何等幸运啊!

下篇　狂愚覆辙

游畋失位①

夏史纪：太康即位②，荒逸，弗恤国事。畋猎于洛水之外，十旬弗返。有穷后羿③因民之怨，拒之于河，弗许归国。厥弟五人，作歌以怨之。太康失国，居阳夏（jiǎ）④。

【解】夏史上记：太康即位，荒于逸乐，不以国事为念。只好在外面打猎，巡游于河南地方，洛水之外，流连百日，不肯回还。把朝廷政事都荒废了，把百姓禾稼都践踏了。民皆嗟怨。当时有一个臣，叫做后羿，极善射。因民之怨，率领军马，手持弓矢，拒之河上，不要他归国。其弟五人，恨他荒淫无道，坏了祖宗的基业。于是，作诗五章，称述其祖大禹的训词以怨之，谓之《五子之歌》。太康毕竟不得归国，居于阳夏之地而死。

夫太康为启之子，启能继禹之道，贤圣之主也。再传太康，止以好尚游畋一事，遂至失国。父祖之德泽，皆不足恃矣。吁！可畏哉。

【注释】

①此篇出自《尚书·夏书·五子之歌》，并见《史记·夏本纪》，记述夏代君主太康荒淫失国的故事。

②太康：夏代第三代君主，大禹的孙子，启的儿子，因荒淫暴虐，被有穷

氏后羿所逐。

③有穷后羿：有穷，即有穷氏，中国古代氏族部落名称，据传该部落首领为后羿，以善射闻名，推翻夏代统治，夺得太康的王位。不久因喜狩猎，不理民事，被家众所杀。

④阳夏：古地名。秦置县。治所在今河南太康县。隋开皇七年(587)改名太康。

【译文】

夏代史书上记载：太康即位后，只顾自己荒淫、逸乐，不忧虑国家大事。他到洛水以外的地方去打猎，一百多天还不回朝。有穷氏部落首领后羿，利用老百姓的怨恨，到黄河边上阻挡他，不许他回到都城。他的五个弟弟听说这件事后跑到黄河边，作《五子之歌》来责备他。太康就这样失去父祖建立的夏朝，只好居住在阳夏。

脯林酒池[①]

夏史纪：桀伐有施氏，得妺(mò)喜[②]。喜有宠，所言皆纵，为瑶台[③]象廊[④]。殚百姓之财，为肉山脯林。酒池可以运船，糟堤可以望十里，一鼓而牛饮[⑤]者三千人。妺喜笑，以为乐。

【解】夏史上记：夏桀无道，不修德政。因征伐有施氏之国，有施氏进了个美女，叫作妺喜。桀甚是宠爱她。说的言语，无不听从。造为瑶台、象廊，极其华丽。竭尽了百姓的财力。又性嗜酒，放纵。不但自家酣饮，将各样禽兽之肉堆积如山，烹熟为脯者，悬挂如林。凿个大池注酒，池中可以行船；积糟为堤，其长可望十里；击鼓一通，则齐到池边，低头就饮，如牛之饮水者三千人。桀与妺喜，欢笑以此为乐。朝政之废可知矣！夫桀之始祖大禹，卑宫室，恶衣服，克勤克俭。因饮酒而甘，遂疏造酒之仪狄。何等忧深虑远，辛勤创业。而桀乃放纵如此！不亡何待！后六百年，又有商纣，亦为肉林酒池，亦亡商国。嗜酒之祸可鉴也哉！

【注释】

①此篇出自《国语·晋语一》。叙述夏桀暴虐、纵欲，导致亡国的故事。

②妺喜：人名。夏桀的妃子，有施氏之女。当夏桀打败了有施氏，有施

氏被迫把妹喜进献给他。妹喜受桀的宠爱。后来商汤灭夏，桀和妹喜南奔而死。楚辞《天问》中，写作妹嬉。

③瑶台：美玉砌成的台。瑶，美玉。

④象廊：用象牙雕刻而成的画廊，是说极其华贵。

⑤牛饮：像渴急了的牛饮水那样地饮酒。

【译文】

夏史上记载：夏桀征伐有施氏，有施氏把妹喜送给了他。妹喜受到桀的宠爱，她说的话桀全都听从。还为她建造了美玉砌成的台，象牙雕刻成的画廊。把百姓的财产用尽了，使宫中有肉山和脯林。大酒池可以行船，造酒耗费的粮食堆成了高大的糟堤，登上去可远望十里。桀一声号令命人击鼓，像牛饮水那样到酒池边饮酒的，达三千人。妹喜见此情景喜笑颜开，桀以此为乐。

革囊射天[1]

商史纪：武乙[2]无道，为偶人，谓之天神。与博不胜而戮之。为革囊盛血，仰而射之，谓之射天。在位五年，猎于河渭之间，暴雷震死。

【解】商史上记：商王武乙无道，不知敬事天地，把木雕成人形，叫做天神。与之对局而博，使人代为行筹。若是偶人输了，就将它砍碎，恰似杀戮那天神一般。又将皮革为囊，里面盛着生血，高悬于空中，仰而射之，叫做射天。其慢神亵天如此。在位五年，出畋猎于河渭之间，着暴雷霹死。夫人君无不敬也，而敬天为大。《书》曰："钦若昊天！"[3]《诗》曰："敬之敬之，天惟显思，命不易哉。"[4]若以天为不足畏，则无可畏者矣。武乙之凶恶，说他不但不怕人，连天也不怕。故为偶人而戮之，为革囊而射之。呜呼！得罪于天，岂可逃哉！震雷殒躯，天之降罚，亦甚明矣。

【注释】

①本篇出自《史记·殷本纪》。叙述了殷纣王前三代君主武乙无所顾忌、任意妄为的故事。

②武乙：殷代君主名，庚丁子以射天神著称于史。

③钦若昊天：见《尚书·尧典》。意为：恭谨地遵循上天的意旨行事。

④敬之敬之，天惟显思，命不易哉：见《诗经·周颂》。意为：恭敬啊再

恭敬，上天一定会显露出它的命意，天命不可违背！

【译文】

商代史书上记载：商王武乙无德，不行正道，做了个偶人，把这个偶人叫作天神。和这个偶人赌博，如果偶人不能取胜，便把它砍碎，以此表示不敬天信神。他还在皮口袋中盛满血，把它吊在木杆上，抬头搭箭去射，说这是射天。他在位五年，后来在黄河与渭水之间打猎时，被暴雷震死。

妲己害政[①]

商史纪:纣伐有苏,获妲己[②]。妲己有宠,其言是从,作奇技淫巧以悦之。使师延[③]作朝歌[④]北鄙之音[⑤]、北里之舞[⑥]、靡靡之乐。造鹿台[⑦],为琼室玉门。厚赋敛,以实鹿台之财,盈钜桥[⑧]之粟。以酒为池,悬肉为林。使男女裸而相逐。宫中九市,为长夜之饮。百姓怨望,诸侯有叛者,妲己以为罚轻,威不立。纣乃为铜柱,以膏涂之,加于炭火之上,令有罪者行焉。辄堕炭中,以取妲己笑。名曰:炮烙之刑。

【解】商史上记:纣无道,恃强用兵,征伐有苏氏之国。有苏氏畏其威力,进献个美女,叫作妲己。纣得了妲己,甚是宠爱他。但是他说的就听,造作奇巧的服饰、器物,以悦其心。使乐官师延作为朝歌、北鄙之音、北里之舞、靡靡之乐,大率都是淫声。又穷极土木之工,造鹿台一座。以琼瑶为室,以玉石为门。厚敛百姓的财物以为私积。那鹿台之内,钱财充实,钜桥之仓,粟米盈满。又凿个大池盛酒,悬鸟兽之肉为林,使男女裸体驰逐于其间。宫中又开设九处店市,与外人交易买卖。君臣酣饮,从夜达旦。竭民膏血,极欲穷奢。所以,一时的百姓们,都兴嗟含怨,困苦无聊。诸侯有背叛者,妲己说诸侯之叛,都因罚轻诛薄，主威不立所致。纣听其言，使人铸铜为柱，柱上抹上脂油，下面烧起炭火，将铜柱加于炭火之上，使有罪的人，在柱上行走。那铜柱既热又滑，人如何行得，就都堕在炭火里烧死。妲己看见，以为笑乐。这个叫做炮烙之刑。

尝考之于史，说商纣闻见甚敏，材力过人。使其有此才智而能亲近贤臣，容纳忠言，则其恶岂至于此哉？乃醢(hǎi)鄂侯[9]、剖比干[10]，而唯妇言是用。欲不亡得乎？万世之下，言大恶者，必曰桀纣。女祸之列，一至于此；有天下者，可不戒哉！

【注释】

①此篇出自《史记·殷本纪》，叙述商代末世帝王纣，因宠信妲己而亡国的故事。

②妲(dá)己：有苏氏的美女，姓己，名妲。

③师延：商纣王时的宫廷乐官。作靡靡之乐，以供商纣王淫乐。《史记·殷本纪》作师涓。

④朝歌：一、地名，商朝都城，武乙所建。纣王在那里纵欲享乐。二、宫廷乐歌。本文应为后者之意。

⑤北鄙之音：鄙，是边境；北鄙，是国家北部边境地区。这一地区生活着蛮族，他们的音乐歌舞放纵地表现情欲，也被视为有害身心健康的。

⑥北里之舞：北里是古代舞曲的名字。晋代阮籍《咏怀诗》："北里多奇舞，濮上有微言。"

⑦鹿台：是商纣王所筑，故址在今河南汤阴朝歌镇南。刘向《新序·刺奢》："纣为鹿台七年而成，其大三里，高千尺，临望云雨。"周武王攻进朝歌，商纣登鹿台自焚而死。

⑧钜桥：商代粮仓所在地。在今河北曲周东北。商纣王向百姓多征赋税，使钜桥的粮仓充盈。

⑨鄂侯：商纣时的诸侯国王、朝中大臣。由于和纣王争辩，被施以重刑杀死。

⑩剖比干：剖，用刀破开。比干，是商末纣王的叔伯父(一说是纣的庶兄)。纣王淫乱，比干犯颜强谏，纣王发怒，说："我听说圣人的心有七窍。"便剖开比干的胸膛，看他的心。

【译文】

商史上记载：商纣王攻打有苏氏国，得到了有苏氏的美女妲己。妲己受到纣王的宠爱，只要是她说的话，没有不听从的。还制作各种奇异精巧的玩物，以供妲己玩乐。让乐师师延作朝中乐歌，其中有北方蛮族的音乐、歌舞等，全都是纵情声色，使人精神萎靡不振的乐舞。

他还建造储存财物的鹿台，装有昂贵的美玉做成的门的琼室，向百姓增收赋税聚敛财物，以充实鹿台，装满钜桥仓库中的粟米。他在朝歌造了酒池，到处悬挂着肉，让男女裸体在这酒池肉林中相互追逐嬉闹。宫中有多种买卖的商市，以供那些长夜豪饮的王公大臣之需。百姓们愤愤不平，诸侯中也有人叛乱，妲己认为这是由于处罚太轻，纣王的威力显示得不够。于是纣王便让制造一个铜柱，上面涂满了光滑的膏油，然后放在火上烧烤，命令那些有罪的人，在这灼烫而光滑的铜柱上行走。他们纷纷堕入燃烧的炭火中，纣王以此博取妲己欢笑，这就叫作炮烙之刑。

八骏巡游[①]

周史纪：穆王[②]臣造父[③]善御，得八骏马[④]。王使造父御之，西巡乐而忘返。东方徐夷[⑤]，乘间作乱，周乃中衰。

【解】周史上记：穆王时，有个臣叫做造父，善能御车驾马。是时穆王得了八匹极善走的骏马，使造父驾着，往西方去巡幸。当时天下太平，穆王驾着那骏马，任意遨游，不思返国，把朝廷政事都废了，民心离叛。东方有个徐夷，因此乘空造反，僭称[⑥]为徐偃王。近徐的诸侯，多有往朝于徐者。周家的王业到此中衰。夫穆王初年，亦是个英明之主。后来，只为用了造父，耽于游幸，遂致政乱国衰。然则，人君之举动，可不慎哉！

【注释】

①本篇出自《穆天子传》、《史记·赵世家》，叙述周穆王只顾巡游、导致内乱而使王业中衰的故事。

②穆王：即周穆王，昭王之子，名满。他西击犬戎，东征徐夷。《穆天子传》演述其乘八骏西行见西王母的故事。

③造父：周代善于驯马驾车的人。他曾取骏马献给周穆王，得赐赵城，由此为赵氏。事见《史记·赵世家》。

④八骏马：相传周穆王有八匹骏马，名目记载不一。《穆天子传》上记

为：赤骥、盗骊、白义、逾轮、山子、渠黄、骅骝、绿耳。

⑤徐夷：周代东方夷人中的一个诸侯国。周穆王时，徐夷的国君是徐偃王。当周穆王西游时，诸侯只尊偃王。后来，穆王令楚出兵灭掉徐夷。

⑥僭：超越本分。僭称：未得允许而自称。

【译文】

周朝史书上记载：穆王有个叫造父的大臣善于驾驭马车，得到八匹骏马献给穆王。穆王便让造父为他驾车，向西巡游玩，快乐得以至于都忘记了回来。东方夷人的徐国，乘机作乱，周朝便从此衰落。

戏举烽火[①]

周史记：幽王[②]嬖爱褒姒[③]，褒姒不好笑，王说之万方，故不笑。王与诸侯约，有寇至，举烽火为信，则举兵来援。王欲褒姒笑，乃无故举火，诸侯悉至，至而无寇，褒姒大笑。后犬戎伐王，王举火征兵，兵莫至。戎遂杀王于骊山下，虏褒姒。

【解】周史上记：幽王宠爱美女褒姒，褒姒性不好笑。王只要得他一笑，设了万般的方法，引褒姒笑。褒姒故意只是不笑。先是，王与诸侯相约，若有贼寇兵至，就烟墩上举起烽火为信，则列国举兵来救援。至是，王念无可动褒姒笑者，遂无故举烽火。诸侯望见，只说有贼兵到了，都领兵来救援，一时齐到城下，却不见有贼兵。褒姒见哄得众诸侯空来这一遭，乃不觉大笑。然诸侯由此不信幽王。后犬戎调兵伐王，王复举火召兵。诸侯见前次哄了他，这遭一个也不来。王遂被犬戎杀害于骊山之下，连褒姒也虏去了。

夫女色可远不可近，近则为其所迷，而举动不知谨，患害不知虑。

幽王只为要褒姒欢喜，至无故征天下之兵，以供其一笑，卒致身弑国亡。其昏暗甚矣。谥之曰：幽，不亦宜乎!

【注释】

①本篇出自《国语·晋语一》、《史记·周本纪》。记述周幽王为博得宠妃褒姒一笑,而以烽火戏诸侯,导致国破身亡的故事。烽火:是古代报警的信号。

②幽王:周幽王(? —前771)。宣王子,名宫涅。宠爱褒姒,生伯服。废申后及太子宜臼(jiù),立褒姒为后,以伯服为太子。申侯怒,联合犬戎攻幽王,杀之于骊山下。西周因此而亡。

③褒姒:周朝褒国的美女,姓姒。周幽王伐褒,褒侯被迫把褒姒献给幽王。

【译文】

周代史书记载:周幽王宠爱褒姒,褒姒不爱笑,幽王想尽各种办法想逗她笑,褒姒还是故意不笑。本来周王与诸侯约定,一旦有敌寇入侵,便点燃烽火作为信号,大家就立刻带兵前来援救。幽王为了博得褒姒一笑,便无缘无故地点燃烽火,诸侯全都带兵前来救援,来到之后才知道并无敌寇,褒姒大笑不止。后来,犬戎攻打幽王,他再举烽火却没有救兵前来。犬戎在骊山脚下杀死了幽王,把褒姒也虏走了。

遣使求仙[1]

秦史纪：始皇帝东巡海上，遣方士齐人徐市(fú)[2]等，入海求蓬莱、方丈、瀛洲三神山[3]，及仙人不死之药。市等诳始皇，言未能至，望见之焉。请得斋戒[4]，与童男女，及百工[5]之事求之，即得之矣。始皇从其言，使童男女三千人，与百工之事偕往。徐市止，王，不来。

【解】秦史上记：始皇帝好神仙，说海中有三座山，一名蓬莱，一名方丈，一名瀛洲，这三座山，都是神仙所居。始皇东巡至海上，遣方士齐人徐市等，入海访求此三山，及仙人长生不死之药。这神仙之说，本是妄诞，徐市因始皇好之，遂哄他说，海中实有三神山，臣等虽不曾到，常在海上望见之焉。请得斋戒，与童男童女，及百工技艺之人，入海求之，则三山可到，不死之药可得也。

始皇不知其诈，遂发童男童女三千人，及百工技艺之事，使徐市等泛海求之。徐市得了这许多人，走在海外寻个地方，就在那里作了王，不回来。而仙药终不可得也。

尝观秦始皇既平六国，平生志欲，无不遂者，所不可必得者寿耳。于是，信方士之言，觅不死之药，竟为徐市等所诳。何其愚哉！至汉武帝，亦遣方士入海，求蓬莱、安期生⑥之属，终不可得，迨其末年，始悔为方士所欺。乃曰："天下岂有仙人！尽妖妄耳！"吁，亦晚矣！宜史臣表而出之，以戒后世人主之惑于方士者。

【注释】

①本篇出自《史记·秦始皇本纪》，参见《史记·淮南王传》。记述秦始皇听信方士徐市的诳骗，求不死之药的故事。

②徐市：即徐芾，又叫徐福。秦朝的方士，齐人。曾上书秦始皇，说海上有三神山，有仙人居住。于是，秦始皇派他入海求仙。

③蓬莱、方丈、瀛洲：古代传说渤海中的三座仙山。

④斋戒：本文指供奉神佛的食品、礼品。

⑤百工：指各种工匠。

⑥安期生：先秦时的著名方士。后来有关他的传说很多，逐渐演变成为道家仙人。

【译文】

秦代史书上记载：秦始皇向东巡游到海上，派遣方士徐市等人，入海寻求传说中的蓬莱、方丈、瀛洲三座神山，以及神山上的仙人所用的长生不死之药。徐市等人诳骗始皇，说他们虽然未能到达三神山，却曾经望见过海上这三座神山。向始皇请得供奉神仙用的各种珍贵的供品、礼物，和童男、童女，以及各种有技艺的工匠，一同前去就会求得。始皇听从了他们的谎言，派童男童女三千人，还有具备各种技艺的工匠，随同徐市前去。徐市停在那里，自称为王，不再回来。

坑儒焚书[1]

秦史纪：始皇三十四年，用李斯之言[2]，烧《诗》、《书》、百家语。有敢偶语《诗》、《书》者弃市[3]，以古非今者族[4]，吏见知不举者与同罪。所不去者，惟医药、卜筮(shì)、种树之书。侯生、卢生相与讥议始皇，因亡去。始皇闻之大怒曰："诸生为妖言，以乱黔首[5]。"使御史案问，诸生转相告引，犯禁者四百六十余人，皆坑[6]之。

【解】秦史上记：始皇帝三十四年，从丞相李斯之言，天下人但有私藏《诗》、《书》及百家言语、文字者，都着送官，尽行烧毁，再不许天下人读书。有两人成偶，口谈《诗》、《书》者，就戮之于市。有援引古事，非毁当今者，全家处死。官吏有见知不举发者，与之同罪。所存留不毁者，只是医药与卜筮、种树这几种小书而已。时有儒士侯生、卢生，两个人相与讥议始皇所为不合道理，又恐得罪，因逃去躲避。始皇闻之大怒说："这儒生每造为妖言，煽惑人心，不可不诛。"乃使御史访察、案问之。诸生互相讦(jié)[7]告，攀扯连累，凡犯诽谤之禁者，四百六十余人，皆坑杀于咸阳地方。

夫自古帝王欲治天下，未有不以崇儒重道为先务者。而始皇乃独反其道，至使典籍尽为煨(wēi)

烬，衣冠咸被屠戮，其罪可胜言哉！至汉高帝过鲁，以大牢祀孔子，文帝除挟书之律，武帝表章六经，公孙弘以儒生为宰相，而孔氏之教乃复兴。

夫观秦之所以亡，与汉之所以兴者，得失之效，昭然可睹矣！

【注释】

①本篇出自《史记·秦始皇本纪》。叙述秦始皇焚书坑儒的故事。

②李斯(？—前208)：楚上蔡人。入秦，官至廷尉。统一六国后，任丞相。反对分封制，主张禁私学，焚毁《诗》、《书》。秦始皇死后，他与赵高合谋，伪造遗诏，迫使长子扶苏自杀，立少子胡亥为秦二世。后为赵高所忌，被杀。

③弃市：处以死刑。《礼记·王制》："刑人于市，与众弃之。"

④族："灭族"，即诛杀全家。

⑤黔首：战国及秦朝称百姓为黔首。《史记·秦本纪》："二十六年……更名民曰黔首。"黔，意思是黑。黔首，指面目黧黑的民众。

⑥坑:活埋。
⑦讦:揭发检举。

【译文】

秦代史书上记载:秦始皇三十四年采纳丞相李斯的建议,烧毁了《诗经》、《尚书》及诸子百家的各种典籍。并且下令:如果有人胆敢与别人谈论《诗经》、《尚书》等焚毁的书籍,就要被处以死刑;对那些以古非今的人,不仅处死本人,还要诛杀他的全家;如果官吏看到、知道而不举报的,也处以同样的罪行。只有医药、占卜算卦、种树的书,不烧毁。侯生、卢生这两个儒生在一起讥讽、议论始皇,因为害怕就逃亡了。始皇听说这件事后大怒,说:"这些儒生妖言惑众。"他命令御史抓起部分儒生拷问,儒生们相互揭发、连累,结果有四百六十多人,犯有违背上述禁令的行为,始皇下令把他们全都活埋了。

大营宫室[1]

秦史纪：始皇以先王宫廷小，乃营朝宫渭南上林苑[2]中。先作前殿阿房[3]，东西五百步，南北五十丈。上可以坐万人，下可以建五丈旗。周驰为阁道，自殿下直抵南山，表山巅以为关。复道渡渭，属之咸阳。计宫三百，帷帐、钟鼓、美人充之，各案署不移徙。

【解】秦史上记：始皇建都咸阳，以先王所住的宫殿狭小，不足以容，乃营建朝宫于渭南上林苑中，先起前面一座殿，叫做阿房殿。这殿的规制，自东至西，横阔五百步；自南至北，入深五十丈。上面坐得一万人。下面竖立得五丈高的旗。只这一座殿，其高大深阔如此，其他可知矣。周围四边，俱做可驰走的高阁道，自殿下直至南山，就南山顶上竖立阙门。其北首砌一条复道，直跨过渭水如桥梁一般，接着咸阳都城。计建立的离宫有三百所。一一都有铺设的帷帐等物。作乐的钟鼓等器，及四方美女充实其中，以待始皇游幸。但所到之处，百事俱备，不用挪移。

夫自古帝王皆以民力为重，不忍轻用。知民心之向背，乃天命去留所系也。始皇竭天之力，以营宫室，极其壮丽，自谓可乐矣。而民心离叛，覆灭随之，竟为项羽所焚，悉成煨烬。吁！可鉴哉。

【注释】

①本篇出自《史记·秦始皇本纪》,记述秦始皇穷奢极欲,大造宫室的故事。

②上林苑:秦都咸阳时始建,始皇三十五年(前212)营建朝宫于苑中,阿房宫即其前殿。汉初荒废,武帝时,又收为宫苑,周围至二百多里,苑内放养禽兽,供皇帝游玩射猎。故址在今陕西西安及周至、户县界。

③阿房:指阿房宫。秦代著名的大建筑。是秦始皇朝宫的前殿。始筑于始皇三十五年(前212),遗址在陕西西安西阿房村(俗名郿邬岭)。

【译文】

秦朝史书上记载:秦始皇认为秦国先代的宫室太小,就在渭河南岸上林苑中营建朝宫。先动工修建前殿阿房宫。东西五百步,南北五十丈。上面能够坐一万人,下面可以建立五丈旗。周围都开辟了可供驰走的阁道,从前殿下一直抵达南山,在南山顶上竖立起高大的阙门,卫护着朝宫。又修一条复道跨越渭水,接连都城咸阳。宫殿共有三百,里面陈设着帐幔帷幕,钟鼓器乐,住满天下的美人。为此设置专门的官署登记在案,不得随便挪移。

女巫出入[①]

汉史纪：武帝时，女巫往来宫中，教美人度厄[②]，每屋辄埋木人祭之。因妒嫉恚骂，更相告讦以为咒诅。上怒，多所击杀。上心既疑，尝梦木人数千，持杖欲击上。因是体不平。江充自知为太子所恶，因言上疾，祟在巫蛊[③]。于是使江充治巫蛊狱[④]。充云："于太子宫得木人[⑤]尤多。"太子愤恨，无以自明。于是发武库兵捕江充诛之。武帝怒，使人捕太子。太子自缢。

【解】西汉史上记：武帝纵容民间女巫出入宫中（女巫，如今师婆之类）。教宫人们祈祷解厄，刻木为神道形象，埋在屋里，时常祷祀以祈福。于是宫人们，有彼此妒忌怨骂者，就告讦于武帝，说他们在背地里雕刻人形，魇（yǎn）镇咒诅主上。武帝发怒，打死宫人甚多。武帝心中既疑，尝梦木人数千，持杖要来打他，因此身体欠安。有奸臣江充，自知太子恶他。见帝年老，恐日后为太子所诛，因奏说："主上这疾，由巫蛊魇镇所致。"武帝信之，就着江充穷治巫蛊之狱，遍宫中掘地蒐寻木人。江充就借此倾陷太子，说臣到太子宫中，掘得木人尤多。武帝怒，太子负屈，无以自明，不胜愤恨之心，遂擅发武库兵仗，捕得江充诛之。武帝愈怒，说太子谋反，使人捉拿太子。

太子惶怯，走出湖县，自缢而死。大抵妇人妒宠相谗，乃其常态。但使宫禁严密，不许外人擅自出入。妃嫔近幸之人，不许彼此无事往来，则闺闼自然清肃，谗害不生。至于女巫邪术，尤不可近。

俗语云："三婆不入门，便是好人家（谓师婆、卦婆、卖婆也）。"况于天子之宫禁，而可容此辈出入乎？

武帝只因不能禁绝于初，故致自生疑惑，而奸人乘间构祸，骨肉伤残，后虽追悔，亦何及哉！此万世所当鉴戒也。

【注释】

①本篇出自《汉书·武五子传戾太子据》，并见《江充传》。记述汉武帝允许女巫出入宫中引起戾太子被杀的"巫蛊之狱"。

②厄：灾难。

③巫蛊：古人的一种迷信。认为巫师使用邪术会加祸于人。

④江充（？—前 91 年）：汉代邯郸人。本名齐，因畏罪逃亡，改名为充。被武帝任为直指绣衣使者，负责镇压三辅盗贼，禁察贵贱奢僭，取得信任。因与太子据有嫌隙，而诬陷，被其斩杀。

⑤太子：又称戾太子。名据（前 128—前 91），汉武帝第六子，卫皇后所生。元狩元年（前 122）年七岁时立为皇太子。武帝末年，卫皇后失宠。因巫蛊之狱，被江充陷害，发兵杀害江充后，自杀。

【译文】

汉代史书上记载：武帝时女巫往来出入宫中，用法术教宫中美人解脱灾难。常常在屋里埋上木制人像祈求鬼神。宫人由于妒忌而生气谩骂，进而相互攻击揭短，进行诅咒。汉武帝发怒，打杀了很多宫人。但此事也引起武帝的疑惑。他曾梦见数千个木制的偶人，手持棍棒，前来打他，因而身体欠安。江充自知被太子嫌恶，于是便编造谎言，说皇上的疾病，是那些女巫用邪术加害的。于是武帝命江充追究巫蛊之罪。江充又说："太子宫中掘得木头人最多。"太子知道后非常痛恨江充，没办法向武帝说明真相，便分发武库兵器，发兵逮捕了江充，并把他杀死。武帝大怒，派人去抓捕太子，太子被迫自杀。

後二十七
漢成帝
王逢時
王根
王立
王商
王譚

五侯擅權

五侯擅权[1]

汉史纪：成帝初立，以元舅阳平侯王凤[2]为大司马大将军辅政。诸舅谭、商、立、根、逢时同日封侯，世谓之五侯[3]。是日，黄雾四塞。商、根又相继秉政。王氏一门，乘朱轮华毂者二十五人。分据势要，朝士皆出其门，赂遗四面而至。五侯争为奢侈，大治第室，至为赤墀青锁，起土山渐台[4]。像白虎殿。穿城引澧水注第中。群臣及吏民多上书，言王氏威权太盛。上皆不听。于是王氏益横。其后新都侯王莽[5]遂篡汉自立。

【解】西汉史上记：成帝初即位，待太后家王氏过厚，用长舅阳平侯王凤作大司马、大将军，专执朝政，诸舅王谭、王商、王立、王根、王逢时，五人同日都封为列侯。当时人号他做五侯。受封之日，黄雾四塞，天戒甚明如此；而成帝不悟。后来王商、王根，又继王凤秉政。王氏一门贵盛，乘朱轮华毂之车者，多至二十五人，都分占势要之官。朝中仕宦，个个是他门下私人。馈送财宝者，四面而至。五侯争以奢侈相尚，大起第宅，穷极壮丽，至用赤土为墀，门户上刻成连锁，而以青色涂之，僭拟朝廷宫殿制度。园中起土山渐台，恰似白虎殿一般。又径自凿开长安城墙，引城外的澧水到他宅里为池。其奢僭如此。那时群臣及官民人等，多上书说王氏权威太盛，恐不可制。成帝只为溺爱母家，都不听其说。因此，王氏越发横恣，无所忌惮。其后平帝以幼年继立，新都侯王莽专政，权威尽归其手，遂毒杀平帝，篡汉自立。

夫人君之于外戚，固当推恩，但不当假以权柄，不幸而有罪，亦宜以法裁之。汉文帝知后弟窦广国之贤而不肯用，诛其舅薄昭之罪而不少贷。后世称明焉。成帝不思祖宗贻谋之意，乃使诸舅更执国政。子弟分据要官，至于骄纵不法，一切置而不问，养成篡弑之祸。岂非千古之鉴戒哉！人主欲保全外家，惟厚其恩赉(lài)，而毋使之干预朝政，则富贵可以长守矣。

【注释】

①本篇出自《汉书·元后传》。并见《资治通鉴》卷30,汉纪二十二,叙述成帝时,纵容母舅擅权、骄奢,终于导致王莽篡汉的故事。

②王凤(? —前22)字孝卿,东平陵(今山东济南)人。元帝皇后王政君之兄。嗣父爵为阳平侯。成帝即位,王凤以元舅任大司马、大将军,领尚书事。最后促成了王莽代汉。

③五侯:汉成帝河平二年(前23),封王凤诸弟五人同日为侯。封舅王谭平阿侯、王商成都侯、王立红阳侯、王根曲阳侯、王逢时高平侯。时人谓之"五侯"。

④渐台:汉武帝作建章宫,太液池中有渐台,高二十余丈,台址在水中,故名。这是王氏模仿汉武所造之渐台,是僭越行为。

⑤王莽(前45—23):字巨君。元帝后王政君之侄。永始元年(前16),封新都侯。平帝即位,王莽复任大司马,总揽朝政。元始五年毒死平帝,自称假皇帝。初始元年,自立为帝,改国号为"新"。托古改制。更始元年农民起义军入长安,被商人杜吴所杀。

【译文】

汉朝史书记载:成帝初即位为皇帝时,任用他的舅舅阳平侯王凤为大司马、大将军辅佐政事。后来又同日封王谭为平阿侯、王商为成都侯、王立为红阳侯、王根为曲阳侯、王逢时为高平侯,时人把他们称之为"五侯"。在封五侯的那天,天气突变,到处充满了黄雾。以后,王商、王根又相继执掌朝中大权。王家一族中,坐着红漆车轮、彩绘车毂的高官共有二十五人,分别把持着权势大而重要的岗位,朝中的重要官员几乎全都出自他们的门下,那些贿赂送礼的人,从四面八方赶到王家的门庭。五侯争相比奢侈,大肆修建宅第居室,甚至也像皇宫那样，把台阶涂成朱红色，把门上镂刻的连环花纹，涂成青色，还模仿汉武帝筑起土山渐台，像皇帝的白虎殿一般，打穿城墙，把澧水引入他们自家的宅第。群臣及吏民多次上书，说王家的威势权位太过分了。成帝完全不听。就这样，王氏一家更加骄纵、蛮横。后来，新都侯王莽便篡夺了汉朝的江山，自立为皇帝。

市里微行[①]

汉史纪：成帝为微行。从期门郎[②]，或私奴、或乘小车、或皆骑，出入市里郊野，远至旁县，斗鸡走马[③]，常自称富平侯家人。富平侯者，侍中张放[④]也。宠幸无比，故假称之。

【解】西汉史上记：成帝好微行。微行，是私自出外行走，不使人知其为天子也。他既是私行，所以不乘辇辂，也不要百官扈驾。只悄悄地着几个禁卫的期门郎，或常侍的仆役跟随着，或时坐一小车，或混同随从人，都一概骑马，出入街市坊里、荒郊野外，远至邻京县邑，斗鸡走马，以为戏乐。此时，侍中张放封富平侯，得宠于上，贵幸无比。成帝乃假充做张放的家人，以震服人心，泯其形迹。

夫以天子之尊，出入警跸，前后法从，有和鸾鸣佩之节，凡以别等威，备非常，肃臣下之观望也。成帝自轻其身，遨游市里，又妄自贬损，称为富平家人，其玷辱宗社甚矣。何以君天下而临万国哉！

【注释】

①本篇出自《汉书·外戚传孝成赵皇后》，并见《资治通鉴》卷 31，汉纪二十三，成帝阳朔四年（前 21）。记述汉成帝自甘堕落，微行市里以纵情玩乐。

②期门郎：又简称期门。西汉时皇帝身旁的武卫人员。武帝选拔禁军，六郡良家子弟中有勇力的武士，执兵器随皇帝微服私行，并约定在京师诸殿门等候，故称期门。后来改称虎贲郎。

③斗鸡走马：泛指不务正业的纨绔弟子从事玩乐活动。走，意思是跑。走马，即赛马，古人的一种赌博活动。

④张放：雍州杜陵（今陕西西安东）人。当汉成帝未即帝位时，便与张放一齐微行游玩。成帝即位后，更加宠信，官侍中郎将，受封富平侯，与其同卧微行，到处玩乐。

【译文】

汉代史书上记载：成帝好便装出行。他有时带着卫士，有时带着私奴，有时乘一辆小车，有时与众人一同骑马，出入市井和荒郊野外。甚至远到京师以外的邻县，进行斗鸡走马活动。还常自称是富平侯的家人。富平侯是侍中张放，受到皇帝的无比宠信，所以假称是他的家人。

宠昵飞燕[①]

汉史纪：成帝微行，过阳阿(公)主家，见歌舞者赵飞燕[②]而悦之召入宫，大幸。有女弟合德[③]，姿性尤秾粹，亦召入。披香博士淖方成在帝后唾曰："此祸水也，灭火必矣。"后姊弟俱立为婕妤[④]。果谮告许皇后，咒诅主上。帝乃废许后，而立飞燕为后。

【解】西汉史上记：成帝微行时，一日到阳阿公主家。有个歌舞的女子，身体最轻，能为掌上舞，名叫赵飞燕。成帝见了，甚是喜悦，就召入宫中，大得宠幸。飞燕有个妹子，名叫合德，姿容性格更是秾艳粹美。亦复召入。时披香殿里有个博士，姓淖名方成，最有识见。跟随成帝之后，见了飞燕姊妹这等模样，知是不祥之兆。因以口唾之，说道："汉家以火德王天下。此女子入宫，必乱国家，乃祸水也。灭火必矣。"其后，飞燕姊妹日见宠幸。不久，俱封为婕妤。果然在成帝面前谗谮许后，说他诅咒主上。成帝信其言，遂将许后废处昭台宫，而立飞燕为后，卒以败德乱政焉。

夫自古亡国非一，而女色居其大半，岂女子有色遂为害哉！良以有色无德故耳。盖妇德必贞静幽闲，端庄雅重，无邪媚轻佻之态者，然后可以配至尊，奉宗庙，而母仪天下。

飞燕姊妹以倡优歌舞贱人，而帝宠之为后，其视桀宠妹喜，纣宠妲己，又有甚矣。汉祚之衰，实自此始。可叹也哉！

【注释】

①本篇出自《资治通鉴》卷31，汉纪二十三，鸿嘉三年（前18）。并见《汉书·孝成赵皇后传》，记述汉成帝宠爱歌舞女子赵飞燕姊妹，导致败德乱政的故事。

②赵飞燕（？—前1）：汉成帝宫人，善舞，以体轻号曰飞燕。被成帝宠爱后，先为婕妤，许皇后被废，立为皇后。与其妹昭仪专宠十余年。哀帝立，尊为皇太后。平帝即位，废为庶人，自杀。

③女弟合德：女弟，即妹妹。合德是赵飞燕妹妹的名字。

④婕妤：宫中女官。汉武帝时置。位视上卿，秩比列侯。又写作倢伃。

【译文】

汉代史书上记载：成帝隐瞒身份便装出行时，路过阳阿公主家，见歌舞女子赵飞燕，便喜欢上她了。召进宫中，宠爱无比。飞燕有个妹妹名叫合德，姿容性情更加美艳绝伦。成帝也把她召入宫中。披香殿博士淖方成，在成帝身后暗中唾骂道："这两个女人是祸水，扑灭汉家火德的一定是这样的祸水啊！"后来，成帝立她们俩为婕妤。她们诬告许皇后暗中诅咒皇帝。成帝便废许皇后，立赵飞燕为皇后。

嬖佞戮贤[①]

汉史纪：哀帝时，侍中董贤[②]姿貌美丽，以和柔便辟得幸于上，贵震朝廷，常与上卧起。诏将作大匠，为贤起大第，穷极技巧。赐武库禁兵，尚方[③]珍宝，及东园秘器[④]，无不备具。郑崇[⑤]谏上，上怒，下崇狱，竟死。

【解】西汉史上记：哀帝时有个侍中，叫做董贤。他容貌美丽，性体和柔，而便佞邪辟，以此得帝宠幸，至与帝同卧起。其尊贵之势，震动朝廷。帝诏令总管营建的将作大匠，替董贤起盖大第宅，诸般的技能工巧无不做到，又赐他武库里禁兵，尚方的珍宝，及东园中葬器，皆朝廷所用，俱以赐贤，无一不备者。其时，有个贤臣郑崇，因此谏争，以为不可。上怒，而下崇于狱，竟死狱中。

夫哀帝初年，躬行节俭，政事皆由己出，亦可以为明主，到后来一宠董贤，遂至颠倒迷惑，无复顾惜，卒以促亡。人君之宠狎佞幸，其祸如此！

【注释】

①本篇出自《汉书·佞幸列传·董贤》，并见《资治通鉴》卷34，汉纪二十六，哀帝建平四年（前3），叙述汉哀帝宠爱侍中董贤，不听贤臣郑崇之谏，反将其下狱治死的故事。嬖佞：指得皇帝喜爱的近侍小人。

②董贤（前23—前1）：汉朝云阳人，字圣卿。哀帝时，以貌美而得宠幸。出则与帝同轿，入则与帝同卧，赏赐巨万，贵倾朝廷。一日昼寝，贤枕帝袖，帝欲起，不忍惊贤，乃断袖而起，故有“断袖”之典，可见是受宠备至。后为王莽所劾，畏罪自杀。

③尚方：也作“上方”。掌管供应制造帝王所用器物的衙署及官名。尚方宝物是皇帝的专用品。

④东园秘器：汉朝有官署称东园，掌管王公贵族的葬具及墓内随葬品的制作。所以又称棺木为东园秘器。

⑤郑崇：汉朝高密（今山东高密）人，字子游。少为郡文学史，至丞相大车属。哀帝时荐擢尚书仆射。卒以直谏见疏。被哀帝下狱，论死。

【译文】

汉朝史书上记载：哀帝时，侍中董贤姿态容貌美丽，用体态的和柔、逢迎谄媚，受到皇帝的宠爱，尊贵到足以震慑朝廷。他常常和皇上同卧同起。哀帝下诏命负责建筑的将作大匠，为董贤建造规模宏大的府第，穷尽了当时的技能工巧。赐给他武库中禁止外用的武器，皇帝专用的珍奇宝物，还有东园为王公制造的棺木葬器，几乎无所不备。郑崇直言上谏，惹怒了哀帝，被捕入狱，死在狱中。

十侍乱政①

汉史纪：桓帝封宦者左悺②、具瑗、徐璜、唐衡、单超为列侯。侯览③上缣五千匹，封高乡侯。又封小黄门④八人俱为乡侯。悺等皆据势擅权，交通贿赂。五侯尤贪纵，倾动内外。天下为之语曰："左回天，具独坐，徐卧虎，唐两堕。"兄弟姻戚，宰州临郡，与盗无异。民不堪命，多为盗贼。其后中常侍曹节、王甫及赵忠、张让等十常侍⑤，相继专政，浊乱海内，寻召董卓⑥之乱。汉因以亡。

【解】东汉史上记：桓帝封中官左悺、具瑗、徐璜、唐衡、单超五人俱为列侯。时帝方卖爵，因侯览上缣五千匹，也封为高乡侯。又封小黄门八人俱为乡侯。由是悺等，占据势要，专擅威权，交通四方贿赂。就中五侯尤为贪婪、放纵，气焰熏灼。那时有个民谣，叫左悺作"左回天"，言其势力能转动人主的意向也。叫具瑗作"具独坐"，言其豪贵无人敢与相并也。叫徐璜做"徐卧虎"，言其如卧虎之可畏也。叫唐衡作"唐两堕"，言其任意妄为，东西无定也。左悺等的兄弟、亲戚，又多是无赖之人，个个都叨冒官职。有做一州方伯的，有做一郡太守的，遍布天下，贪赃枉法，凌虐小民，就与盗贼一般。百姓们困苦无聊，往往逃亡，去为盗贼。其后有中常侍曹节、王甫及赵忠、张让等十个常侍，相继专擅朝政，起党锢之狱[7]，弑贤臣窦武、陈蕃、李膺等百余人。任意纵横、浊乱海内，遂致黄巾贼起。未几，董卓举兵向内，劫迁天子。汉随以亡。

按天文志，官者四星，在帝座之侧，中官给事左右，供奉内庭，盖王制所不可少者。但不宜授以兵权，使得专制朝廷耳。

考之当时，中常侍吕强清忠好直谏，最为善良，使桓帝左右皆小心端悫如吕强之流，而外任贤臣李固、黄琼等以为股肱心膂，则汉至今犹存可也。奈何不顾祖制，宠之以五等之封，授之以威福之柄，遂使权倾人主，毒流海内。乱亡之祸，岂非自取之哉！

【注释】

①本篇出自《后汉书·单超传》和《后汉书·张让传》，叙述东汉桓帝时为五位宦官封侯，即“五侯”，接着又有十常侍作乱的故事。

②左悺：东汉平阴（今河南孟津东北）人，桓帝初为小黄门史，时梁冀专横，桓帝授意左悺、具瑗、徐璜、唐衡、单超五人诛之。悺得官，迁中常侍，封上蔡侯。后为司隶校尉。五人具封侯，合称“五侯”。

③侯览：东汉防东（今在山东省）人。桓帝时初为中常侍，以佞猾进。倚势贪放，受纳货贿数以万计，累封高乡侯。熹平初为有司所举奏，遂自杀。

④黄门：古代皇宫的门是黄色的，禁地。汉代设黄门官署，负责皇宫内庭的服务。因此“黄门”便成了宦官的代称。

⑤十常侍：汉灵帝时，宦官张让、赵忠、夏恽、郭胜、孙璋、毕岚、粟嵩、段珪、高望、张恭、韩悝、宋典十二人都是中常侍，封侯贵宠，父兄子弟，布列州郡，侵掠百姓。当时，张钧上书：“宜斩十常侍，悬头南郊以谢百姓。”称十常侍，是取个整数。

⑥董卓（？—192）：东汉临洮人，字仲颖。桓帝末，以破羌胡拜郎中。灵帝时为前将军。少帝时，大将军何进设谋诛杀作乱宦官，密召卓；卓乃引兵入朝。宦官既诛，卓遂擅权。他自封为相国，废少帝，立献帝。凶暴淫乱，人心惶恐。袁绍、孙坚等起兵征讨。卓乃挟献帝西迁长安，司徒王允设计诱使董卓部将吕布杀死董卓，弃尸于市。

⑦党锢之狱：东汉桓帝、灵帝时，宦官集团对士大夫的迫害而兴起的大狱。桓帝时李膺等人抨击宦官集团，被诬为“诽讪朝廷”，二百余人被捕入狱。灵帝时，欲诛宦官事泄，宦官侯览等人，收捕李膺等百余人下狱处死，流徙、囚禁六七百人，是谓“党锢之狱”。

【译文】

汉代史书上记载：桓帝封宦者左悺、具瑗、徐璜、唐衡、单超为列侯。

侯览献给皇上五千匹缣，也被封为高乡侯。还封八个侍奉皇上的小官官为乡侯。从此，宦官左悺等人，占据势大位要的岗位，专横、擅权、逞威，以贿赂的手段，收买勾结上下四方之朝廷政要。其中被并称为五侯的宦官，特别地贪婪、放纵，权力之大，摇动了朝廷内外。当时传遍天下的一首歌谣说："左回天"，左悺能改变皇帝的意向；"具独坐"，具瑗权势无人敢比；"徐卧虎"，徐璜是令人生畏的老虎；"唐两堕"，唐衡任意妄为。他们的兄弟姻亲，主宰州县，君临郡邑，横行乡里，与盗贼没有两样。在他们的迫害之下，百姓无法活命，许多人沦为盗贼。后来中常侍曹节、王甫及赵忠、张让等十常侍，相继专权擅政，把国家搞得一团糟。不久，招致董卓之乱，汉朝因此败亡。

西邸鬻爵[1]

汉史纪：灵帝开西邸卖官，入钱各有差：二千石，二千万；四百石，四百万。其以德次应选者半之。令长随县好丑、丰约有价。富者先入，贫者到官倍输。又私令左右卖公卿。公，千万；卿，五百万。于西园立库贮之，以为私藏。

【解】东汉史上记：灵帝于西园中开设邸舍，如市店一般，鬻卖官爵，官有大小，则纳钱有差等。秩二千石的，如今之知府等官，则纳钱二千万；秩四百石的，如今之县令等官，则纳钱四百万。就是本等以德行、次序，应该选除的，也要他纳钱一半，才许他作官。令长，即今之知县，随那地方的好丑，以为纳钱多寡，都有定价。富者，纳完了钱，才与他官作；贫者，赊于他，着他到地方后，加倍补纳。又私令左右

之人卖公卿。公卿大官必是资望相应的，然非因近幸入钱，亦不肯便与。公，卖钱一千万；卿，卖钱五百万。将这卖官的钱，都收贮在西园库里，以为自家的私藏。

考之于史，灵帝初为侯时常苦贫，及即位，叹桓帝不能作家计，无私钱，故卖官聚钱如此。

夫朝廷官爵，以待贤才。《书》言："官不及私昵，爵罔及恶德[②]。"任意与人，犹且不可，况卖之以为私藏乎！且天子富有四海，安用私藏。即使市贩之辈，冒滥冠裳，贤才之人，高蹈畎亩[③]。上坏朝廷名器之公[④]，下遗百姓剥削之害，未及五年，大盗四起，宗庙社稷且不可保，西园私藏，果安在哉？此正《大学》所谓："一人贪戾，一国作乱者也。"

【注释】

①本篇出自《资治通鉴》卷57，汉纪四十九，光和元年(178)。并见《后汉书·灵帝本纪》，叙述汉灵帝卖官鬻爵的故事。汉灵帝，名刘宏(156—189)，公元168—189年在位。这期间宦官专权，党锢祸起，还公开标价卖官，天下田亩增税十钱，大修宫室等等，导致阶级矛盾恶化，终于在中平元年，爆发了黄巾大起义。

②见《尚书·说命中》："官不及私昵，惟其能；爵罔及恶德，惟其贤。"意即官不授给自己亲近的人，爵位不给品德恶劣的人。

③高蹈畎(quǎn)亩：高蹈意为避开、隐居。畎，是田地中的小水沟。意为：德行高尚而又有才能的人远离朝廷，到乡村去隐居。

④名器：古代社会用来表明身份等级的称号及车服，仪制、钟鼎宝器等。

【译文】

汉朝史书上记载:灵帝在皇宫禁地西园设邸舍卖官,根据官职大小不同标价也有差别:俸禄两千石的官职,标价二千万钱;官俸四百石的官职,标价四百万钱。规定根据德行年资依次序应该提升的官员,也要减半交钱。州县长官,要根据任职所在地的好坏,标出不同的价码出售。有钱买官的先交钱,没钱买官的赴任后加倍交钱。他还私自下令左右出卖公、卿爵位。公,卖千万钱;卿,卖五百万钱。他把卖官得到的钱,在西园立库贮存起来,作为自己的私产藏在那里。

列肆后宫[1]

汉史纪：灵帝作列肆[2]于后宫，使诸采女[3]贩卖。更相盗窃、争斗。帝着商贾服，从之饮宴为乐。

【解】东汉史上记：灵帝于后宫中，盖造铺店，积聚各样货物，使宫中众采女，都学外面市井上人，交易贩卖，又使之彼此偷盗、争斗、喧哗，故意做出那市井上的模样来。灵帝也穿着外面买卖人的亵衣，装做商贾，随着众宫人在酒肆中饮宴，以为欢乐。

夫灵帝之时，奸邪满朝，权纲不振，天怒人怨，灾变叠兴，乃不知恐惧修省，任贤图治，而游乐宫中，甘同商贾下贱人的勾当。兼且弄狗着冠，驾驴操辔，亵尊败度之事，无所不为。人心如何不离？盗贼如何不起？东汉之亡也，岂献帝之罪哉！

【注释】

①本篇出自《资治通鉴》卷58,汉纪五十,光和四年(181)。并见《后汉书·灵帝本纪》。记述灵帝在宫中设立商店扮作商贾嬉戏游乐的故事。

②肆:店铺。

③采女:东汉宫中,在皇后、贵人之外,又置美人、宫人、采女三等。采女是一般宫女。

【译文】

汉代史书上记载:灵帝在后宫摆起了各种店铺,让宫中采女贩卖各种货物,进而相互偷盗、争斗不止。灵帝还穿上商人的服装,穿梭于店铺之间,和那些人饮宴取乐。

芳林营建①

魏史纪：明帝好土功，大营宫殿。役连岁不休。徙长安钟簴(jù)②、铜驼、承露盘③于洛阳。铸铜人二，列司马门外。又铸黄龙、凤凰，置内殿前。起土山于芳林园④，使公卿皆负土。树杂木善草，捕禽兽致其中。光禄勋高堂隆⑤、尚书卫觊(jì)⑥及司徒掾董寻⑦，皆上疏极谏，不听。

【解】三国魏史上记：明帝叡好土木之功。即位后，大营建宫殿。既作许昌宫，又作洛阳宫。工役连年不得休息。迁徙长安城中秦汉时所造的钟架、铜橐驼，及铜承露盘到洛阳来。用铜铸两个极大的人，号做“翁仲”，摆列在司马门外。又铸成黄龙、凤凰，安置在内殿前面，筑一座土山于芳林园。欲其速成，乃使公卿大臣每都亲自搬土助工。山既成了，使人栽种杂木好草；又捕捉各样禽兽放在中间，就与真山一般。光禄勋高堂隆、尚书卫觊及司徒掾董寻，都上奏疏极谏其失。明帝通不听他，兴作如故。

夫君以一人治天下，非以天下奉一人也。明帝之时，三方鼎立，力行节俭，犹恐不足以为国，而乃劳人动众为不急之务。且公卿大臣，朝廷之所素敬礼者，至使负土为山，沾手涂足，尤非使臣以礼之道矣。未几，明帝早崩无嗣，不及一享其乐，魏之天下，又随为司马氏所篡。彼铜人土山之玩，果为谁而作哉！

【注释】

①本篇出自《三国志·魏志》卷3，明帝，裴松之注引《魏略》，并见《资治通鉴》卷73魏纪五，明帝景初二年（238）。记魏明帝曹叡（ruì）（205—239）好兴土木拒谏的故事。

②钟虡：即笋虡，是古代悬挂钟、磬、鼓的木架。其横木叫笋，笋旁所立二柱叫虡。虡的两端，刻龙画凤。

③承露盘：汉武帝大搞神仙迷信，在神明台上作承露盘，立铜仙人舒掌以接甘露，认为饮此甘露会延年益寿。以后又加工成仙人手擎盘承甘露。

④芳林园：本在东汉时建造的，遗址在今洛阳市东。三国时齐王曹芳即帝位，改称华林园。

⑤高堂隆：字升平，泰山平阳（今山东新泰）人，官散骑常侍。曾上书谏止大治宫室，迁光禄勋。三国曾魏名臣、天文学家。

⑥卫觊：字伯儒，河东安邑（今山西运城）人。少以才学称。魏时，官侍中。以文章显，明帝时封閺乡侯。

⑦董寻：魏河东（今山西西南部）人。为司徒军议掾。上书明帝谏止徙

长安钟簴铜人。

【译文】

三国史书上记载：明帝特别喜好土木之功，大肆营建宫殿。劳役连年不停。把秦汉故都长安的钟鼓连同壮观的支架、铜骆驼，巨大的仙人承露盘全都迁移在新都洛阳。还铸造了两个巨大的铜人，摆列在司马门外。又铸造了黄龙、凤凰，置于内殿前。在芳林园里堆起一座土山，让公、卿士大夫往土山上背土。在园中种植了各种花果树木、好草善苗，捕获各种禽兽放养其中。光禄勋高堂隆、尚书卫觊以及司徒掾董寻，都上疏极力劝谏，可他根本不听。

羊车游宴[①]

晋史纪：武帝既平吴，颇事游宴，怠于政事，掖庭[②]殆将万人。常乘羊车，恣其所之，至便宴寝。宫人竞以竹叶插户、盐汁洒地，以引帝车。而后父杨骏始用事[③]，交通请谒，势倾内外。朝政大坏，至其子惠帝，遂有五胡乱华[④]之祸。

【解】晋史上记：武帝自平吴之后，以为天下一统、四海无虞，遂骄纵放逸，好游幸宴乐，不理政事。后宫妇女，多至万人。欲有所幸，不能自决所往，因以羊驾车，任它行去。羊所住处，就在那里住下，宴乐寝宿。于是宫人望幸者，多把竹叶插在门上，盐水洒在地下，引得那羊来食之，以驻帝车而宴寝焉。

因武帝这等荒淫无度，不理国事，于是，皇后之父杨骏得以专权擅政，交通请托，威福权势，倾动内外，朝政日以坏乱。至其子惠帝又不肖。夷狄[⑤]交侵，五胡乱华，而中朝之祸，自此始矣。

向使武帝平吴之后，兢兢业业，常如前日，帝亦明达之主也。骏安得而用事？天下何从而启乱哉？

【注释】

①本篇出自《晋书·后妃上·胡贵嫔传》。记述晋武帝平吴后，贪图享乐、淫逸无度，朝政大坏；到惠帝时，五胡乱华，中原涂炭的故事。

②掖庭：宫中旁舍，妃嫔居住的地方。

③杨骏：晋华阴(今陕西华阴)人，字文长。其女为晋武帝后，官车骑将军。武帝疾危时，后奏请以杨骏辅政。武帝死后，骏秉持国政。惠帝贾后惧骏，密谋杀骏，诛三族。

④五胡乱华：晋武帝死后，我国北方五个少数民族匈奴、鲜卑、氐、羯、羌相继建立王朝，并纷纷内迁，先后建立十六国，历经一百三十五年的分裂、战乱的历史，史称五胡乱华。经历的历史时期称为“五胡十六国”。

⑤夷狄：古代中原人对周边少数民族的泛称，即东夷、西戎、南蛮、北狄，夷狄泛指周边少数民族。

【译文】

晋朝史书上记载：武帝平定东吴后，大肆游乐饮宴，政事荒废，后宫中大概聚集了万名嫔妃。他常乘坐羊拉的小车，随其所到之处，便住下宴乐。宫中嫔妃争相把竹叶插在门上，把盐汁洒到地下，用各种方式引来武帝乘坐的羊车。皇后的父亲杨骏，开始独揽大权，用各种方式往来勾结，在朝廷内外独断专行，朝廷政事大坏。到了他的儿子晋惠帝时，遂有周边五种胡人扰乱中华之祸。

笑祖俭德[1]

宋史纪：宋主骏[2]大修宫室，土木披锦绣。坏高祖所居阴室[3]，起玉烛殿，与群臣观之：床头有土障，壁上挂葛灯笼，麻蝇拂。袁顗[4]盛称高祖[5]俭德。宋主曰："田舍翁得此，已为过矣。"

【解】六朝宋史上记：宋主刘骏性好奢侈，嫌他父祖的宫室卑小，乃重新大修造一番，墙壁门柱上，都披着锦绣。宋高祖生前住的去处，叫做阴室，后世以藏高祖的御服。他要把这阴室拆了，改造玉烛殿。因与群臣往那里观看，见阴室里面，床头有屏障是土做的；墙上挂个灯笼是葛布鞔的；挂个蝇拂是麻绳的。这都是高祖生前常用的器物，质朴俭素，故留之以示子孙也。其臣袁顗因盛称高祖的俭德，欲以感

悟宋主。宋主反笑话说："高祖起于农亩而为天子，本是个庄稼佬。他有这个受用，已是过分了。岂可与今日同语哉！"

夫不念祖宗创业之艰，法祖宗崇俭之德，且嘲诮如此，尚谓有人心乎？未及一年，他就殁(mò)在这玉烛殿里。其子子业[6]，济恶更甚，遂被篡弑之祸。

传曰：俭，德之共也；侈，恶之大也。[7]岂不信哉！

【注释】

①本篇出自《资治通鉴》卷129，宋纪十一，大明七年(463)。记述南朝宋孝武帝刘骏大兴土木，毁坏其高祖刘裕的阴室，并嘲笑祖父俭德的故事。

②宋主骏(430—464)：即南朝宋孝武帝刘骏，公元453—464年在位。武帝刘裕之孙，宋文帝第三子。435年，立为武陵王。453年，太子刘劭弑文帝自立，刘骏移檄四方，共讨刘劭，攻克台城(宫城)后，杀刘劭及同党。即皇帝位。

③阴室：私室。南朝时，当皇帝死后，把他平时居住处辟为私室。藏生前衣物及日用品。

④袁颉：南朝宋大臣，字景章。宋孝武帝大明年间拜侍中。当孝武帝欲废太子子业时，颉盛称太子好学有日新之美。及其即位，以为吏部尚书。

⑤高祖：即刘裕(363—422)，南朝宋开国皇帝，公元420—422年在位。少时家贫，以贩履、种田、捕鱼、伐荻为生。后投身行武，屡立战功，成为东晋北府兵的著名将领。420年，废晋帝自立为帝，定都建康，国号宋，史称刘宋。建国后，生活俭朴，勤于政事，建树很多，为

宋初繁荣奠定了基础。

⑥子业：即刘子业(449—465)，南朝宋皇帝。继刘骏后在位仅一年。即位后，骨肉相残，先后杀掉叔祖刘义恭，叔父刘敬猷、刘敬先、刘敬渊，弟弟刘子鸾、刘子师，并大杀文武百官。不久被杀死。时年17，谥号废帝。

⑦“俭，德之共也；侈，恶之大也”：出自《左传·庄公二十四年》，意思是：勤俭，是有德的人共同的美德；奢侈，是作恶的人最突出的丑行。

【译文】

南朝宋的历史上记载：宋主刘骏大修宫室。修建的宫殿全都披上了华丽的锦绣。还把高祖居住过的阴室拆掉，建造起玉烛殿。在拆掉之前，他与群臣前去观看，看到室内床头屏障是用泥土做成的；墙壁上挂着用葛布做罩的灯笼；用过的蝇拂竟是个用麻绳做的。大臣袁顗见了，不由地盛赞高祖勤俭的美德。可是，刘骏却说：“他不过是个庄稼佬，能享受这样的待遇，已经超过一般了。”

金莲布地[1]

齐史纪：齐王宝卷[2]，荒淫奢侈，后宫服御，极选珍奇。宠爱潘妃，尝凿金为莲华以帖地，令潘妃行其上曰：此步步生莲华也。嬖幸因缘为奸利，课一输十。百姓困穷，号泣道路。

【解】六朝齐史上记：齐主宝卷，荒淫奢侈，凡后宫的服饰器用，必选那极其珍贵奇异之物。宠爱一个女子潘妃，尝以黄金打成莲华，贴在地上，叫潘妃在上面行走。齐主观而悦之，说道：这个是步步生莲华也。自是，指用浩繁，而嬖爱宠幸之人，乘机以行奸网利。指一科十，由此百姓困穷，无所告诉，惟号泣道路而已。其荒淫奢侈如此。在位二年，竟为嬖臣王珍等所弑。萧衍[4]因而篡齐。败亡之祸，岂非自取之哉。

【注释】

①本篇出自《南史·齐本纪·废帝东昏侯》，并见《资治通鉴》卷143，齐纪九，永元二年(500)。记述东昏侯萧宝卷，凿金为莲花令宠妃行其上的故事。

②齐王宝卷(483—501)：即东昏侯萧宝卷，南朝齐皇帝。公元498—501年在位。齐明帝次子，自幼玩乐不读书。即位后，肆意游荡，不分昼夜。为政苛暴，赋税繁重，生活奢侈荒淫。最后被叛变的禁卫

军杀死。谥为东昏侯。

③华：古同“花”，花朵。

④萧衍：即梁武帝，南朝梁开国皇帝。公元502—549年在位。其父萧顺之乃齐高帝萧道成族弟。齐末东昏侯无道，他乘机起兵，从此大权在握。中兴二年(502)废齐和帝，自立为帝，国号梁，仍都于建康(今南京)。但是佞佛。

【译文】

六朝齐的历史上记载：齐王萧宝卷，荒淫奢侈，后宫的服饰、车马，都选尽了各种珍奇的宝物加以铺张装饰。他宠爱潘妃，曾经凿金做成莲花铺在地上，让潘妃在上面行走，还说：“这叫作步步生莲花。”宠信的人乘机行奸网利，百姓应交一分租赋实际却交了十分，百姓困顿穷极，号叫哭泣于道路。

舍身佛寺[1]

梁史纪：武帝幸同泰寺[2]，设大会[3]。释御服，持法衣行清净大舍。素床瓦器，乘小车，役私人，亲为四众讲《涅槃经》[4]。群臣以钱一亿万奉赎，表请还宫。三请乃许。

【解】六朝梁史上记：武帝惑于佛教，尊信甚笃，亲自幸同泰寺，设为大会，聚集僧俗人众，脱去袍服，穿了僧衣，行清净大舍。施之法，修持斋素，出了家，把自己的身子舍在寺里。睡的是素床，用的是瓦器，坐的是小车，使唤的只是几个家人。屏去了天子的奉养，件件用度与那出家的一样。又亲升讲堂法座，为僧俗大众讲《涅槃经》。佛家说，人死去精神常存，但示寂灭而已，叫做涅槃，故有《涅槃经》。武帝信之，故亲讲与众人听。文武群臣，见武帝迷惑，舍身在寺里，无可奈何。乃共出钱十万，献在佛前，赎出武帝来，上表请帝还宫听政。武帝初时不肯，恳请三次，然后许之。

夫佛家弃父母、妻子，舍身出家，乃西夷之教，不可以治天下。梁武帝不思宗庙社稷之重，土地人民之托，妄自舍身佛寺，倾国以奉浮屠[5]。不过惑于因果报应之说耳。后来侯景之乱[6]，饿死台城，佛安救哉！

【注释】

①本篇出自《资治通鉴》卷153，梁纪九十四，大通元年(529)，并见《梁书》本纪3，叙述梁武帝崇佛，舍身佛寺，群臣以亿万钱赎回的故事。

②同泰寺：梁武帝大通元年(527)建于宫城北掖门处，原为吴之后苑。梁武帝四次舍身于此寺。

③设大会：梁武帝多次要同泰寺设四部（僧、尼及男、女居士）无遮（或无碍，任何人都可参加）大会，讲《涅槃经》、《般若经》等。

④《涅槃经》：佛教著名经典。涅槃，是梵文的音译，又译作"泥洹"，意译为"寂灭""圆寂"。是佛教修习所要达到的最高理想。

⑤浮屠：即佛，或专指佛像、佛塔。

⑥侯景之乱：侯景，怀朔镇（今内蒙古包头东北）人。齐高欢镇守河南大将。因恐被欢子澄所杀而降梁。梁武帝封他为河南王。次年举兵反叛，攻破建康（今南京），把梁武帝围困在台城（宫城）愤饿而死。

【译文】

梁朝历史上记载：武帝到同泰寺，举行佛教大法会。脱去帝王的装束，穿上僧人的常服，并且把自己的帝王之身施舍给寺庙。他睡的是硬板床，用的是瓦器，乘坐小车，使唤的是私家人，亲自为男、女居士、僧、尼讲解《涅槃经》。群臣用一亿万钱把他从寺庙中赎回，上表请他还朝主持国政。如此三次请他，才答应回宫。

纵酒妄杀[1]

齐史纪：齐主洋[2]嗜酒淫佚，肆行狂暴。尝作大镬、长锯、锉碓之属，陈之于庭。每醉，辄手杀人以为戏乐。杨愔乃简死囚[3]，置帐内，谓之供御囚。齐主欲杀人，辄执以应命。

【解】六朝齐史上记：齐主高洋，好酒而荒淫佚乐，肆行狂暴。尝做下烹人的大锅，解人的长锯，与铁锉碓口等物，摆列庭中以为刑具。每醉便手自杀人，以为戏乐，那时宰相杨愔，不忍无罪之人被杀，乃简那该死的囚犯，置列庭帐之内，叫做供御囚。待齐主醉后要杀人之时，就以此囚应命。

夫人命至重，虽犯罪该死，犹且三覆五奏，然后行刑。是以禹见罪人，下车而泣，重人命也。齐主酷暴如此，岂不大失人心。然齐主即位之初，亦尝留心政事，推诚任使；军国机务，独自裁决，可谓贤主。后来，只因好酒乱性，遂成无道之君。此大禹之所以绝旨酒而书作酒诰，以为戒也。

【注释】

①本篇出自《北史·齐本纪中·显祖文宣皇帝》，并见《资治通鉴》卷166，梁纪二十二，太平元年(556)六月。记述北齐文宣帝高洋统治末期，嗜酒滥杀无辜的暴行。

②齐主洋：北齐政权的建立者高洋(529—559)，字子进，祖籍渤海蓨(今河北景县东)，公元550—559年在位。原为东魏大臣。550年5月，废东魏孝静帝元善见，自立为帝，国号齐，定都邺(今河北磁县南)，史称北齐。初期，励精图治，请汉族士人杨愔改定律令，推行全国。后期矜功嗜酒，淫暴无度，终因酗酒暴病而亡。

③杨愔(511—560)：南北朝时华阴(今属陕西)人，出身士族。历仕北魏、东魏、北齐三朝，北齐时官至宰相，日理万机，无所疑滞，多有建树。

【译文】

北朝齐国史书上记载：北齐君主高洋，嗜酒淫逸，行为无所约束，狂暴异常。曾造用来煮杀人的大锅、长锯、铁锉、碓口等刑具，摆在宫廷之中。每当他酣醉，就亲自动手，杀人以此取乐。宰相杨愔把那该杀的死囚准备好，安置在帐内，叫作供御囚。每当皇帝要杀人时，便把囚犯拉过来，应付皇帝行凶杀人之命。

华林纵逸[①]

齐史纪：齐主纬[②]，好自弹琵琶为“无愁之曲”，民间谓之“无愁天子”。于华林园[③]立贫儿村，自衣蓝缕之衣，行乞其间以为乐。

【解】六朝齐史上记：齐后主纬，好自弹琵琶唱曲，所唱的曲子音调哀惨，闻者悲伤，反名“无愁之曲”，说他做天子，长享快乐，更无忧愁也。民间相传其事，遂号他为“无愁天子”。尝于华林园内立贫儿村，自家穿着蓝缕衣服，装做乞人的模样，行乞饮食以为戏乐。荒纵至此，焉得不亡，后为周宇文邕[④]所灭。

【注释】

①本篇出自《资治通鉴》卷172，陈纪六，太建七年(575)二月。并见《北齐书·幼主高纬》。记述高纬放纵行乐不理国政的故事。

②齐主纬：北齐武成帝高湛子高纬(556—578)，公元565—577年在位，史称齐后主。在位期间，只顾游乐，“罕接朝士，不亲政事”，导致土崩瓦解，众叛亲离。

③华林园：见前《芳林营建》注。

④宇文邕(543—578)：北周武帝，公元560—578年在位，鲜卑族，宇文泰之子。在位期间实行了政治、经济、社会等方面的改革，建德六年(577)灭北齐。统一北方，政绩斐然，为后来隋的统一奠定了

基础。

【译文】

北齐历史上记载：齐后主高纬，喜欢自弹琵琶曲，名为“无愁之曲”。民间管他叫作“无愁天子”。他曾在华林园立“贫儿村”，自己穿上破衣烂衫，在园内行乞为乐。

玉树新声[①]

陈史纪：后主起临春、结绮、望仙三阁，各高数十丈，连延数十间，其窗牖栏槛，皆以沉檀为之，饰以金玉，间以珠翠。其服玩瑰丽，近古所未有。上每饮宴，使诸妃嫔及女学士与狎客共赋诗，互相赠答。采其尤艳丽者，被以新声，选宫女千余人歌之。其曲有《玉树后庭花》、《临春乐》等，大略皆美诸妃嫔之容色。君臣酣歌，自夕达旦以为常。

【解】六朝陈史上记：陈后主叔宝在位，荒淫无度。起三座高阁，一名临春，一名结绮，一名望仙。各高数十丈，阔数十间，其窗户栏杆，都是沉檀好香做成的。又饰以金玉，嵌上珠翠，阁里所摆设的衣服、乐器，都是珍奇美丽之物，近代所未曾见者，其宫室服用奢侈如此。后主又好为词曲，选宫人能文的，叫做女学士。群臣能文的，如江总[②]、孔范[③]等，都纵容他出入禁中，陪侍游宴，叫做狎客。后主每饮宴，即命诸妃嫔及女学士与狎客每同作诗，一赠一答，以为娱乐，无复顾忌。诸诗之中，拣词语极艳丽的，被诸管弦，新作一种腔调。选宫女千余人都唱此曲，与乐声相和，其曲有《玉树后庭花》及《临春乐》等名目。曲中的说话，大略都是夸美诸妃嫔的容色而已。君臣酣饮狂歌，自夜晚直到天明。每日是如此，以为常事。其声色游宴之娱又如此。

夫人君为万民之主，当爱养财力，惟恐不足；兢业政事，犹恐有过。而后主乃穷奢极侈，流连荒亡；其于民力国事，都不暇顾。《书》曰："内作色荒，外作禽荒。甘酒嗜音，峻宇雕墙，有一于此，未或不亡。"[4]今后主有四焉，欲不亡得乎？

【注释】

①本篇出自《陈书·后主沈皇后传·张贵妃》，并见《资治通鉴》卷176，陈纪十，至德二年(584)。记述陈后主纵情声色、荒于政事，导致败亡的故事。

②江总：陈朝考城人，字总持。仕梁历太子中书舍人。入陈为太子詹事。后主即位擢仆射、尚书令。不持政务，日与后主游宴后庭，号为狎客。

③孔范：陈朝会稽人，字法官，为后主狎客。仕陈，官尚书。文章华丽。后主恶闻过失，范必曲为文饰。时有孔贵人绝爱幸，范与孔氏结为兄妹。

④见《尚书·虞夏书·五子之歌》中的第二首。意为：在朝官之内迷恋女色；在朝官之外迷恋狩猎。纵情饮酒而不节制；嗜歌舞而不知满足，住着高大的殿宇又加以彩饰；这几样中只要占了一项，便没有不亡国的。

【译文】

陈朝史书上记载：后主建起临春、结绮、望仙三阁。每一个都高达数十丈,有数十间那么宽阔,上面的窗户、栏杆全都用贵重的沉檀木做的,还用金玉加以雕饰,有的还镶嵌上珍珠翡翠。他的服饰、珍玩瑰丽,是从来未曾有过的。每当他饮宴,都要让那些妃嫔及女学士与狎客相互赋诗赠答,从中选出美艳的诗词,让人谱上新曲,再选出宫女千余人边唱边舞。这些歌曲中有《玉树后庭花》、《临春乐》等,大概都是颂扬赞美陈后主宠爱的妃嫔的容貌如何漂亮。君臣酣歌,从晚上直到天明,习以为常。

後六五

剪綵爲花
隋煬帝

剪彩为花[1]

隋史纪：炀帝筑西苑[2]，周二百里，其内为海，周十余里，为方丈、蓬莱、瀛洲[3]诸山，高百余尺，台、观、宫殿，罗络山上。海北有渠，萦纡注海内；缘渠作十六院，门皆临渠；每院以四品夫人主之；穷极华丽，宫树凋落，则剪彩为花叶缀之；沼内亦剪彩为荷、芰、菱、芡；色渝，则易以新者。十六院竞以肴羞精丽相高，求市恩宠。帝好以月夜从宫女数千骑游西苑，作《清夜游曲》，于马上奏之。

【解】隋史上记：炀帝溺于逸游，用度奢侈。于宫中筑别苑一所，叫做西苑，周围有二百里宽，中为海子，周围亦十余里，海中起方丈、蓬莱、瀛洲等山，以象东海中三神山，各高百余尺。山上都有台、观、宫殿，罗列于上。海子北边，开一道河渠萦纡回绕。引水注于海子内，沿渠盖院落一十六所；院门都傍依着河渠；每一座院里面，都有宫人美女，而以四品夫人掌管。穷极华丽，以恣游乐。遇秋冬时节，见宫树凋落，则剪五彩绢帛为花为叶，缀于枝条之间；于池沼中，亦剪彩为荷、为芰、为菱、为芡，贴在水面，与春夏间的景物一般；久之，若颜色改变，又换上新的，其侈靡如此。那十六院中的宫女，彼此各以肴馔精丽相争相胜，以此希恩取宠。炀帝游观无厌，惟日不足，好乘月夜，随从宫女数千骑遨游苑中；命词人编成清夜游的歌曲，使宫女于马上唱之。未几，又游幸江都，留连不返，遂以失国。

考之于史，隋炀帝之父文帝，性贪好利。洛阳府库，财货山积。炀帝始为晋王，谗杀太子而嗣立。即位之初，见国家财物繁富，遂奢侈纵肆如此。嗟呼！浚百姓之膏血以实府库，而付之于凶狡淫恶之人，贻谋如此，不亡何待？然则隋室丘墟，不独炀帝之罪，盖亦文帝之过也。

夫人主欲为后世子孙长久之计，唯在示之以恭俭仁厚，而审于付托哉！

【注释】

①本篇出自《资治通鉴》卷180，隋纪四，大业元年(605)。记述隋炀帝筑西苑、造高宫，沉湎酒色、游幸无度的故事。

②西苑：隋炀帝所造的官苑。又叫芳华苑、禁苑。唐称紫苑。故址在河南洛阳市西。

③方丈、蓬莱、瀛洲：见前《遣使求仙》注。

【译文】

隋朝史书上记载：炀帝建筑了西苑，周围有二百里。苑中有个海，周围也十多里。苑中还建造了传说中海上的三座仙山：方丈、蓬莱、瀛洲，山高百余尺，楼台、道观、宫殿，在仙山上层叠起伏。海的北面有条渠，迂回曲折把水注入海内；沿渠建造十六座院，院门全都临渠；每院由一位四品夫人主持，华丽无比，无所不用其极。当宫中树叶凋残落地时，就剪五彩绢帛，做成花朵、绿叶，点缀在树枝上；池沼内也用彩绸剪成荷花、四角的菱角、两角的菱角、鸡头；每当彩绢褪色，就换上新的。十六座院争相以美味佳肴求得皇帝的恩宠。炀帝喜欢在月夜率领数千名宫女骑马畅游西苑，让人作《清夜游曲》，在马上演奏。

游幸江都[1]

隋史纪：炀帝幸江都[2]，龙舟四重：上重有正殿、内殿、朝堂；中二重有百二十房，皆饰以金玉；下重内侍处之。皇后乘翔螭，舟差小。别有浮景九艘，三重，皆水殿也。余数千艘，后宫、诸王、公主、百官以下乘之。共用挽士八万余人，皆以锦彩为袍。卫兵所乘，又数千艘。舳舻(zhú lú)相接[3]，二百余里。骑兵夹两岸而行。所过州县，五百里内，皆令献食，一州至百舆；极水陆珍奇，后宫厌饫(yù)多弃埋之。

【解】隋史上记：炀帝从水路巡幸扬州江都地方，所乘的龙舟极其高大。一舟四层：上层有正殿、内殿、朝堂；中两层有一百二十间房。这三层都用金玉装饰；第四层是内侍所居。皇后乘的，叫做翔螭舟，制度略小些，也一样华丽。别有九只船，叫做浮景，一船三层。这九只船都是水殿，以象离宫别馆。其余船数千只，是后宫、诸王、公主、百官以下乘的。共用扯船的夫八万余人，皆以彩帛为衣。还有护卫军士坐的船，又数千只。这许多船在江中头尾相接，二百余里远。又有马军摆列着在两岸上，夹舟而行。所过州县，五百里内都要供献饮食；多者，一州就有百车；穷极水陆珍奇品味。后宫厌饫，用不尽的，无处安顿，多弃埋之。夫炀帝这只为适一己之快乐，不顾百姓之困穷。为巡幸之费，一至于此。岂知民愁盗起，祸生肘腋。江都之驾未回，而长安洛阳已为他人所据矣。岂非千古之鉴戒哉。

【注释】

①本篇出自《资治通鉴》卷180，隋纪四，大业元年(605)。记述隋炀帝游幸江都、劳民伤财的故事。

②江都：隋大业初改扬州为江都郡。治所在江阳(今江苏扬州)。隋炀帝大筑江都宫苑，定为行都。

③舳舻相接：舳是在船尾持舵的地方；舻是船头刺棹的地方。是说船很多，船尾接着船头，绵延不绝。

【译文】

隋代史书上记载：炀帝游幸江都。他乘的龙舟高达四层：最上面的一层有正殿、内殿、朝堂；中间两层共有一百二十个房间，全都用金玉装饰；底层则居住着他的内侍。皇后乘坐的船叫翔螭，比他乘坐的龙舟略小。另外还有九艘船叫作浮景，每艘有三层，全是水中的宫殿，其他的船有数千艘，分别乘坐着后宫、诸王、公主、百官。划船、掌舵、拉纤的挽士共有八万余人，全都穿着漂亮锦彩制成的袍。卫兵们乘坐的船，又有数千艘。首尾相连，蜿蜒河中二百余里。河的两岸各有一队骑兵护行。所经过的州县，离河岸五百里内，全都前来献食，一州所献食物多达百辆车。食品极尽水陆珍肴奇品，后宫饱食生厌，大多抛弃埋掉。

斜封除官[1]

唐史纪：中宗委政宫闱，安乐[2]、长宁公主[3]，及韦后[4]妹郕国夫人，上官婕妤[5]、尚容柴氏、女巫第五英儿，皆依势用事。卖官鬻爵，虽屠沽臧获[6]，用钱三十万，则别降墨敕除官，斜封付中书。时人谓之斜封官[7]。上官婕妤等皆有外第，出入无节。朝士咸出其门，交通贿赂，以求进达。

【解】唐史上记：中宗在位，沉溺酒色，不恤国事，把朝廷政务都只委托于皇后韦氏，因此政出多门，朝纲坏乱。韦后的女儿安乐公主、长宁公主，与其妹郕国夫人，及宫人上官婕妤、尚容柴氏、女巫第五英儿，这几个女宠都在内用事，将国家的官爵擅自出卖。不拘甚么出身，就是那屠户、卖酒及一应下贱的人，但纳得三十万铜钱，里面就降一道敕书，除授他官，斜封着付中书省发行。也不用文凭，也不由吏部。以此当时把这用贿买官的人，都叫做斜封官。官爵至此，冒滥极矣。又上官婕妤等数人，外面都置买下私宅，有时出到私家来，有时进入宫里去，出入任意，没人敢禁止她。一时朝士，都出其门，交通贿赂，以求援引进达。风俗至此败坏极矣。

按史，中宗遭武氏之乱[8]，久罹(lí)幽辱，备尝艰辛，一旦复位，正宜总揽干纲，励精图治可也。乃又溺爱衽(rèn)席，至使威福之柄，尽出宫门；爵赏之典，下逮仆隶。所谓前车既覆，而后车不以为戒者也。未几，中宗遂为韦后所毒，唐祚几于再倾。呜呼！可鉴也哉！

【注释】

①本篇出自《资治通鉴》卷209，唐纪二十五，景龙二年(708)。并见《新唐书·选举志下》。记述中宗沉溺酒色，将朝政委托于韦后，韦后及其诸女卖官鬻爵的故事。

②安乐公主(？—710)：唐中宗李显与韦后所生的幼女，很受宠爱。先嫁武三思子崇训，崇训死，又嫁武延秀。欲拥韦后临朝，以己为皇太女。与韦后合谋，毒死中宗。后李隆基(玄宗)起兵，被诛杀。

③长宁公主：中宗与韦后所生女。先嫁杨慎交。倚韦后受宠，权倾一朝。筑有多处豪华府第，慎交死后，又嫁苏彦伯。最终，以坐赃数十万废终生。

④韦后(？—710)：唐中宗后，京兆万年(今陕西长安)人。神龙元年(705)中宗复位后，勾结武三思等，专擅朝政，重用韦氏族人。景龙四年(710)毒死中宗，立温王重茂为帝，临朝称制。不久，李隆基发动政变，被诛杀。

⑤上官婕妤：即上官婉儿(664—710)，唐陕州(今河南陕县)人。因聪敏善文章，十四岁便为武后草拟诏命，受宠。中宗即位，又得韦后、武三思宠信，拜昭仪，掌文学、音乐等事。诗篇文采斐然。诏封婕妤。韦后败，被杀。

⑥屠沽臧获：屠，指屠夫。沽，指卖酒的。臧获，古代对奴婢的贱称。被认为是从事贱业的人。

⑦斜封官：唐中宗时，韦后及太平、安乐、长宁等公主，都仗势用事，贪纳货贿，别于侧门降墨敕，斜封付中书授官，号“斜封官”。

⑧武氏之乱：指武则天改唐为周，篡夺唐代政权之变乱。武则天(624—705)，唐高宗后，名曌，并州文水(今山西文水县东)人。先为唐太宗才人，太宗驾崩后为尼，高宗时被召入宫，封为皇后。中宗即位时，她临朝称制，不久废中宗，立睿宗，初载元年(690)废睿宗，自称皇帝，改唐为周。在位期间任用酷吏，屡兴大狱。晚年豪侈专断，颇多弊政。神龙元年(705)宰相张柬之等发动政变，迫其退位，中宗复位。恢复唐国号。

【译文】

唐代史书上记载：中宗把朝廷大政交给宫中的女人们处理，她们是安乐公主、长宁公主，及韦皇后的妹妹郕国夫人、上官婕妤、尚容柴氏、女巫第五英儿，全都依仗权势，任意行事。把国家的官爵标价出卖，只要交上三十万铜钱，纵然是屠夫、酒贩、奴婢等操持贱业的人，都可以得到由皇帝亲自签署的升官令，斜封交付中书授官。如此得官，时人管叫“斜封官”。上官婕妤等人都在朝廷之外置有外宅，随便出入宫廷。朝中大臣全都出自她们的门下，这些人相互勾结、贿赂，求得升官发财的机会。

观灯市里[①]

唐史纪：中宗春正月，与韦后微行观灯于市里。

【解】唐史上记：中宗末年，委政宫闱，任情为乐。尝于正月元宵夜，与韦皇后私出宫禁，观灯于街市里巷之间。夫人君以万乘之尊，居九重之上，当勤政事，戒逸乐。况中宗遭忧患之后，乃不知戒慎，恣情极意，以天子之贵，观灯市里，混杂于庶民之贱，又且与皇后同行，尤为不可。一则失居尊之体，二则昧防变之智，三则坏宫闱之法，四则倡淫荡之风。一举动之间，犯此四大戒，岂非万世永鉴也。

【注释】

①本篇出自《旧唐书》本纪七，中宗景龙四年（710）正月，并见《旧唐书·韦庶人传》。记述中宗与韦后隐去身份，混迹于平民百姓之中在元宵节观灯的故事。

【译文】

唐代史书上记载：中宗曾在春正月，与韦皇后隐去身份，穿上普通人的衣服，到街市上观看元宵灯节。

宠幸番将[1]

唐史纪：玄宗以番将范阳节度使安禄山[2]为御史大夫。禄山体肥，腹垂过膝。外若痴直，内实狡黠。上常指其腹曰："胡儿，腹中何所有？"对曰："更无余物，止有赤心耳。"上悦，容其出入禁中。上与杨贵妃同坐，禄山先拜贵妃。上问何故？曰："胡人先母而后父。"上益悦之。常宴勤政楼，百官列坐，特为禄山于御座东间，设金鸡障，置榻，使坐其前，仍令卷帘，以示荣宠。

【解】唐史上记：玄宗宠一个胡人，叫做安禄山，用他做范阳节度使，使掌着一镇的兵马。又加他以御史大夫之职。那安禄山身体肥大，腹垂过膝。看他外面的模样，恰似个痴蠢直遂的人，而其心却奸狡慧黠。玄宗尝拍着他的肚子问说："胡儿，你肚里有些什么？这等样大？"安禄山对说："臣腹中更无他物，止有一点报国的赤心耳。"玄宗听说，甚喜，又容他出入宫禁。一日玄宗与杨贵妃同坐，禄山拜见，先拜杨贵妃，后拜玄宗。这是禄山知道玄宗宠幸杨贵妃，故意趋奉，以悦其心。及至玄宗问他："何故如此？"他却对说："我虏人的风俗，先母后父，固如此耳。"玄宗不知其诈，越发喜他。又一日在勤政楼上筵宴群臣，百官都两边侍坐。玄宗令于御座东间，张一副金鸡彩障，设一个座榻，命安禄山特坐于群臣之上，还令卷起帘子，使人看见，以彰其荣宠。

按史，禄山曾犯死罪。宰相张九龄[③]，谓其貌有反相，劝玄宗早除之。玄宗不惟不听，反加尊宠。其后禄山果反，致令乘舆播迁，中原版荡[④]，唐之天下几于沦亡。玄宗始悔之，晚矣。

语曰："非我族类，其心必异[⑤]。"岂不信哉！

【注释】

①本篇出自姚汝能《安禄山事迹》卷上，并见《资治通鉴》卷215，唐纪三十一，玄宗天宝六年(747)。记述唐玄宗宠信番将安禄山、养虎遗患的故事。

②安禄山(？—757)：唐朝营州柳城奚族人。母嫁突厥人安延偃，改姓安，更名禄山。受玄宗宠信，官平卢、范阳、河东三镇节度使。天宝十四年冬在范阳起兵叛乱，先后攻陷洛阳、长安，称雄武皇帝，国号燕，建元圣武。后被其子庆绪杀死。

③张九龄(678—747)：字子寿，唐韶州曲江(今广东韶关)人。开元二十一年(733)任中书侍郎同中书门下平章事。言事预见常有所应，玄宗生日，百官上寿，而九龄进《金镜录》，言古代兴废之道。安禄山讨契丹，败后，被捕入京师，九龄切谏不宜免禄山死，玄宗不听，放了他。

④版荡：又写作"板荡"。《诗经·大雅》中有《版》与《荡》二首诗，内容是讥刺周厉王无道，败坏国家。后以"版荡"指政局的变乱或社会动荡不安。

⑤非我族类，其心必异：见《左传·成公四年》。意为：不是我们同族的

人，他们不会和我们一条心。

【译文】

唐朝史书上记载：玄宗曾提拔胡人将领范阳节度使安禄山为御史大夫。禄山身体肥胖，大肚子垂下来超过膝盖。表面上一副愚笨、直率的样子，内心却怀有阴险狡诈之心。玄宗指着他的大肚子问："胡儿，你的肚子里装着些什么？"禄山答道："没有任何别的东西，只有对皇上的赤诚忠心。"玄宗非常高兴，允许他随便出入宫中。一天，玄宗与杨贵妃并肩而坐，安禄山先向杨贵妃行拜见礼。玄宗问为什么要这么做？他说："我们胡人先拜见母亲，后拜见父亲。"玄宗听了更加喜欢。玄宗常常在勤政楼设宴，百官依次两旁列坐，却特地为安禄山在御座的东间，挂上一副金鸡障，摆上榻案，让他坐在榻案前，还让人卷起挂帘，在众人面前以表示对禄山的荣恩与宠信。

敛财侈费[①]

唐史纪：玄宗在位久，用度日侈，常赋不足以供。于是江淮租庸使韦坚[②]，户部郎中王鉷[③]，竞为聚敛以悦上意。韦坚引浐水为潭，以聚江淮运船，上幸望春楼观之。坚以新船数百艘，载四方珍货。陕城尉崔成甫，着锦半臂、绿衫、红袙首，居前船，唱《得宝歌》[④]；使美妇百人，盛饰而和之，上喜，为之置宴，竟日而罢。鉷于岁贡额外进钱帛百亿万，另贮于内库，以供宫中赏赐。上以国用丰衍，故视金帛如粪壤，赏赐无极，海内骚然。

【解】唐史记：玄宗初年，惜财俭用，及在位日久，荒淫无度，费用日侈，年例钱粮不够使用。于是江淮租庸使韦坚，户部郎中王鉷，窥见朝廷上用财紧急，争去科敛民财，取悦于上。一日各处转运船只，都到了京城，韦坚要显他的才干，遂引浐水为潭，把江淮一带的运船都会集潭内，请玄宗御望春楼观看，又把新船数百只，装载着四方的珍宝货物；叫陕城县的一个县尉，名崔成甫，身穿着锦半臂、绿衫，头上裹着红袙，在前面船上唱《得宝歌》，使美妇女百十人，浓妆盛饰，齐声唱而和之。玄宗见了大喜。就在望春楼上，摆设筵宴，尽日而摆。王鉷又于年例之外，进献钱帛到百亿万。另收在内库里，专供应宫中赏赐。玄宗不知韦坚、王铁原是剥削百姓的骨髓，以供上用，只说天下钱财，这等丰富，用之不尽，把金帛看得如粪土一般，赏赐无有纪极。自是，民不聊生，而海内骚然变乱矣。

夫天地生财，只有此数。在官者多，则在民者寡矣。自古奸臣要迎合上意，往往倡为生财之说，其实只是设法巧取民财，横征暴敛。由是杼柚空虚，闾阎萧索，以致民穷盗起，瓦解土崩。虽有善者，亦无如之何矣。

玄宗初年，焚锦销金，崇尚俭德，开元之治，庶几三代。及在位日久，侈念一生，奸邪承之；聚财纵欲，遂成安史之乱。

率此观之，治乱兴亡之判，只在一念奢俭之间而已。可不戒哉！可不畏哉！

【注释】

①本篇出自《旧唐书·韦坚传》、《旧唐书·王铁传》，并见《资治通鉴》卷215，唐纪三十一，玄宗天宝二年(743)。记述唐玄宗为了自己游幸奢侈浪费搜刮民财的故事。

②韦坚(？—764)：字子金，唐京兆万年(今陕西西安)人。初任长安令，后擢为陕郡太守、水陆运使。在咸阳附近壅渭为堰，作一与渭水平行之渠，因而便利漕运。在禁苑东建望春楼，楼下凿一广运潭以通漕运。二年乃成，坚令洛、汴等地小舟三百，各陈本地特产，集于潭中，请玄宗登楼观看。因而得官、受封。

③王鉷(？—752)：唐太原祁县(今山西祁县东南)人。初为监察御史，擢户部郎中。将搜刮百姓及地方官吏所得上贡，岁进亿万，以供玄宗挥霍，升为御史大夫兼京兆尹。

④得宝歌：开元二十九年(741)报称有宝符在陕州桃林县发现，以为殊祥，改桃林为灵宝县。当韦坚筑潭成功，在此次欢聚中，陕县尉崔成甫，根据一首民歌重新填词，唱道："得宝弘农野，弘农得宝耶，潭里舟船闹，扬州铜器多，三郎(唐玄宗)当殿坐，听唱得宝歌。"

【译文】

唐代史书上记载：玄宗在位日久，耗费一天比一天奢侈，正常的贡赋不够开支。于是江淮租庸使韦坚，户部郎中王鉷，便搜刮聚敛民财以取悦玄宗。韦坚引来浐水修筑了水潭，以便聚集江淮等地的运船，玄宗登上望春楼观看，韦坚用新船数百艘运载着四方的珍宝财货。陕城尉崔成甫，他穿着锦衣偏袒，露出一只臂膀，绿色的衣衫，额头上扎着红色帛带，站在船头唱着《得宝歌》，有百名漂亮的女子，盛装美饰和着他的歌声。玄宗非常高兴，为此大宴群臣直到天很晚了才结束。王鉷在每年贡赋常额之外，进献钱帛百亿万，另外贮藏在内库，以供应玄宗在宫中赏赐。玄宗以为国家财力丰富，用度丰裕，所以视金帛如粪土，赏赐没有限量，引起国内动荡不安。

便殿击球[①]

唐史纪：敬宗[②]初即位，即游戏无度，幸内殿击球、奏乐。赏赐左右乐人，不可胜纪。又召募力士，昼夜不离侧。好自捕狐狸。视朝月不再三。大臣罕得进见。

【解】唐史上纪：敬宗初即帝位，那时他先帝梓宫还在殡，通不知哀思，只好游戏。没些樽节，常幸各内殿，与宦官刘克明等打球，又命乐工奏乐、鼓吹、喧闹，全无居丧之礼。赏赐那左右近侍及乐工，泛滥不可尽记。又把钱去雇募有力的人，跟随左右，日夜不离。好自家去捕捉狐狸，以为戏乐。每月视朝还没有三次，大臣不得进见，政事都荒废了，其后竟遭弑逆之祸。

历史上载敬宗所行，也有几件好事，本是个聪明之主，只为幼年不曾学问，被群小引诱，遂至于此。可悲也哉！

【注释】

①本篇出自《资治通鉴》卷243，唐纪五十九，宝历二年(826)。记述唐敬宗初即位时，游戏无度，不理朝政的故事。

②敬宗(809—826)：是唐朝第14代皇帝。唐穆宗长子，名李湛。即位时年仅16岁，在位仅2年。可他却游乐无度，荒于政事，还信佛

修庙，宝历二年(826)一月，夜猎还宫，先击球，后饮酒，酒酣，入室更衣时被宦官谋害。死时，年仅18岁。

【译文】

唐朝历史上记载：唐敬宗初即位，就不顾一切地游戏玩乐，到内殿击球、奏乐。对哄他高兴的左右及乐人，赏赐无法计算。还招募一些大力士，昼夜都不离开身边。喜欢自己去捕狐狸。一个月内上朝理政不超过三次。朝中大臣很少能够见到他。

宠信伶人[①]

五代史纪：后唐庄宗[②]，幼善音律，故伶人多有宠，常侍左右。庄宗或时自傅粉墨，与优人共戏于庭，以悦刘夫人。优人常名之曰“李天下”。诸伶出入宫掖，侮弄缙绅。庄宗信其谗，疏忌宿将，诸将叛之。庄宗为乱兵所弑。侍臣敛庑(wǔ)下乐器，聚其尸而焚之。

【解】五代史记：后唐庄宗自小时，就精通音律，因此教坊乐工多得宠幸，常随侍左右。那时宫中刘夫人有宠，庄宗有时自家涂抹粉墨扮乐工的模样，与众乐工共戏于庭前，以悦刘夫人，使她欢笑，其无耻如此。诸乐工每倚恃庄宗宠爱，通不知上下之分，只叫庄宗做“李天下”。因而出入宫禁，侮弄缙绅士大夫，无些忌惮。又谗谮诸有功大将。庄宗听信其言，渐渐疏忌诸将，所以群臣愤嫉于内，诸将怨惧于外，共奉李嗣源以叛。庄宗中流矢而殂。侍臣取廊下陈设的乐器，堆在庄宗尸上，举火焚之。庄宗平生好音乐、宠优伶，及其死也，与乐器俱焚。所谓君以此始，必以此终者也。

夫庄宗初年，艰难百战，以取天下，是何等英武。一旦天下已定，志满气骄，遂致身弑国亡，贻笑千古。兴亡之机，可畏也哉！

【注释】

①本篇出自《资治通鉴》卷271,后唐纪一,同光元年(923)。内容叙述五代后唐庄宗与伶人共戏于庭,进而宠信他们,危及天下的故事。

②后唐庄宗:名李存勖(885—926),西突厥沙陀人,李克用的长子。公元908年李克用病死,李存勖继位为晋王,当时年仅24岁。开始与朱温争天下。征战中,他身先士卒,攻城略地,自立为皇帝(923),建立后唐,是为庄宗。重用宦官,宠信伶人,称帝仅四年,部将反抗,众叛亲离,被乱军流矢射死,年仅43岁。

【译文】

五代史书上记载:后唐庄宗从小喜爱音律,能够自己谱曲。因此伶人多受到他的宠信,经常侍其左右。庄宗有时自己也涂抹粉墨化妆,和伶人一起在庭堂上共同演戏,用以取悦刘夫人。优伶们常管他叫"李天下"。这些优伶出入皇宫禁地,侮辱戏弄正人儒士。庄宗听信他们的谗言,疏远疑忌功臣老将,诸将领起兵反叛。庄宗被乱兵杀死。侍臣把大厅内陈设的乐器,堆在他的尸体上,一齐烧了。

上清道会[①]

宋史纪：徽宗幸上清宝箓宫[②]，设千道会，且令士庶入听林灵素[③]讲经。帝为设幄其侧。灵素据高座，使人于下再拜请问，然所言无殊绝者，时时杂以滑稽媟语，上下为大哄笑，无复君臣之礼。又令吏民诣宫，授神霄秘箓[④]。道箓院[⑤]上章，册帝为“教主道君皇帝”。

【解】宋史上记：徽宗崇尚道教，曾替道士林灵素盖一座宫，叫做上清宝箓宫。徽宗每临幸其地，便设大斋醮[⑥]，但来的，既与斋饭，又与衬[⑦]，施钱三百，叫做千道会。且令士民都入宫，听林灵素讲道经。徽宗设御幄于其旁，着灵素在正面坐着高座，使人于下再拜请问。灵素所讲的，却只寻常，无奇异处。时或杂以诙谐亵狎的言语，上下哄然大笑。无复君臣严肃之礼。又令官民人等，都到这宝箓宫里传授他神霄秘箓，盖假神其术，言受此箓，可获再生富贵也。道箓院官因上表章，册号徽宗做“教主道君皇帝”。

夫徽宗为亿兆之君师，乃弃正从邪，屈体于异流，猥杂于凡庶，甚至亲受道号，甘为矫诬。自昔人主溺于道教至此极矣。卒有北狩之祸，身死五国城，彼所谓三清天尊者，何不一救之欤?

【注释】

①本篇出自《宋史·本纪·徽宗三》，并见卷462《方技传·林灵素》，内容叙述宋徽宗崇道术，做教主道君皇帝的故事。

②上清宝箓宫：是宋徽宗为道士林灵素所建的宫观。进行设醮讲经。

③林灵素：宋朝温州人。少依佛门为僧，常受其师笞骂，后改从道教。以方术获宋徽宗宠信。徽宗赐号通真达灵先生、金门羽客玄妙先生。

④神霄：道家把最高的天，叫神霄。

⑤道箓院：宋代掌管道教事务的官署。

⑥斋醮：道教设坛祭祷的一种仪式。即供斋醮神，借以求福免灾。

⑦衬：施舍。

【译文】

宋代史书上记载：徽宗临幸上清宝箓宫，在那里设置千道会，并且令士人百姓都来听林灵素讲道经。徽宗在讲坛一侧设有的御幄旁听。而林灵素却高高在上据正座，让人们在座下一再地向他礼拜请问，可是他讲的道经没有任何新鲜内容，只是常常用滑稽轻佻的言语，引得上上下下哄堂大笑，不再有君臣庄严的礼仪。又令官吏民众到上清宝箓宫，请林灵素授以神霄秘箓。道箓院上奏章，册封宋徽宗为"教主道君皇帝"。

应奉花石[①]

宋史纪：徽宗性好花石。朱冲[②]密取浙中珍异以进。帝嘉之，岁岁增盛。舳舻相衔于淮、汴，号“花石纲”[③]。又置应奉局于苏州，命冲子勔[④]总其事，于是搜岩剔薮，幽隐不遗。凡士庶之家，一石一木，稍堪玩者，即领健卒入其家，用黄帕覆之，指为御物。及发行，必撤屋抉墙以出。斫山辇石，程督惨刻。虽在江湖不测之渊，百计取之，必得乃止。民预是役者，多破产或卖子女以供其需。

【解】宋史上记：徽宗性喜花石。苏州有个人叫做朱冲，闻知朝廷要花石，就密求浙江地方奇异的花石进献。徽宗喜它，因此年年加添，所贡渐盛。淮、汴二河中，都是载运花石的船只，络绎不绝、首尾相接，叫作“花石纲”。又置个应奉局在苏州，命朱冲的儿子朱勔总领其事。朱勔既奉朝命，专以购求花石为事。岩穴薮泽之中，通去搜索一遍，虽幽深隐僻去处，也无不到。凡士庶人家里，有一块石，有一棵树，稍稍可玩的，朱勔就领健卒数十人，直入其家，用黄帕子遮盖了，就指说此是朝廷御用之物，着他看守。及发行时，必撤开房屋，抉破墙壁以出。如山上有奇石，就令人凿山以取之，用车搬运。催督工程，极其惨刻。虽生于江湖不测之渊，他也千方百计以取之，务要得了才止。百姓们为这差使重累，多破荡家产，又有鬻(yù)卖子女以供其费者。

夫花石之玩，何益于事，而徽宗乃好之不已。至于上耗国用，下竭民力，曾不知恤，遂使邦本动摇，强虏内犯，身死沙漠，家族播迁，岂不愚哉！

【注释】

①本篇出自《宋史·朱勔传》，参见宋赵彦卫《云麓漫钞》卷7，叙述宋徽宗大造"万岁山"，派朱勔置应奉局，承办"花石纲"，耗资巨大，民怨沸腾的故事。

②朱冲：北宋商人，宋徽宗时奸臣朱勔的父亲，因进献珍玩讨得宋徽宗欢心。

③花石纲：宋徽宗在东京(今河南开封)造寿山艮岳，即"万岁山"，崇宁四年派朱勔置应奉局，搜刮江南奇花异石，使民怨沸腾。当时运花石的船队，不断往来于淮汴之间，号称"花石纲"。纲，是说成帮结队地运输货物。

④朱勔(1075—1126)：宋朝苏州人。是宋末"六贼"之一。他掌管苏州应奉局期间，大肆搜刮。服役者往往家破人亡，荼毒东南达二十年。方腊起义，声讨花石纲所造成的罪恶，要杀掉朱勔，朝廷被迫罢了他的官。后被宋钦宗杀死。

【译文】

宋朝史书上记载：徽宗喜欢奇花怪石。朱冲得知后，秘密地把两浙省中珍玩异宝进献给他。徽宗很赞赏，求贡的花石也一年比一年多。运送花石的船队，在淮河、汴河之间，首尾相接络绎不绝，号称“花石纲”。朝廷又在苏州设置了应奉局，让朱冲的儿子朱勔总领其事。他在岩穴之间，湖泽之下，全都搜捡遍，连最隐蔽的地方也没遗漏。凡是士人百姓家中，有一块石、一棵树，稍微能够玩赏的，即有官员率领健壮兵卒冲入家门，用黄帕盖上，指为御用之物。待发运时，定要拆屋毁墙，把它搬去。他们掘山刹景，推车运石，督促工程极其残酷苛刻。纵然是在深不可测的江湖底下，也要千方百计地取来，定要得到才肯罢休。如果百姓摊上这种苦役，大多破产或卖儿卖女，以供其需。

任用六贼[1]

宋史纪：徽宗在位，承平日久，帑庾盈溢。蔡京[2]为相，始倡为“丰、亨、豫、大”之说[3]，劝上以太平为娱。上尝大宴，出五盏玉卮以示辅臣曰：“此器似太华。”京曰：“陛下当享天下之奉，区区玉器，何足计哉！”上曰：“先帝作一小台，言者甚众。”京曰：“事苟当理，人言不足畏也。”由是上心日侈，谏者俱不听。京又求羡财以助供费，广宫室以备游幸。兴延福宫、景龙江、艮岳等工役，海内骚然思乱，而京宠愈固，权震海内。是时梁师成[4]、李彦[5]，以聚敛幸，朱勔以花石幸，王黼(fǔ)[6]、童贯[7]，以开边幸。而京为之首。天下号为“六贼”[8]，终致靖康之祸[9]。

【解】宋史上记：徽宗时，承祖宗累世太平，仓库钱粮充盈满溢。那时奸臣蔡京为相，只要保位固宠，乃倡为丰亨豫大之说，劝徽宗趁此太平，欢娱作乐。一日徽宗大宴群臣，将所用的玉盏玉卮示辅臣说：“此器似太华美。”蔡京奏说：“陛下贵为天子，当享天下的供奉，区区玉器，何足计较。”徽宗又说：“先帝尝造一座小台，言官谏者甚众。”蔡京又奏说：“凡事只管自己该做的，便是人言何足畏乎？”徽宗因此志意日侈，不听人言。蔡京又另外设法搜求羡余钱粮，以助供应；广造宫室，以备徽宗游观，起延福宫，凿景龙江，筑艮岳假山，皆穷极壮丽，所费以亿万计。天下百姓，困苦无聊，纷纷思乱，而徽宗不知，恣意游乐，宠任蔡京之心愈固，于是京之威权震于海内矣。那时，又有梁师成、李彦，因聚敛货财得宠；朱勔，因访求花石得宠；王黼、童贯，因与金人夹攻辽人，开拓边境得宠；这些不好的事，都是蔡京引诱开端。所以，天下叫这六个人做“六贼”，而蔡京实六贼之首。因此，海内穷苦，百姓离心，到靖康年间，金人入寇，京师不守，徽宗父子举家被虏北去。实宠任六贼之所致也。

自古奸臣要蔽主擅权，必先导其君以逸豫游乐之事，使其心志蛊惑，聪明壅蔽，然后可以盗窃威福，遂己之私。

观徽宗以玉器为华，是犹有戒奢畏谏之意，一闻蔡京之言，遂恣欲穷侈，酿祸基乱。嗟呼！此孔子所谓一言而丧邦者欤！大抵勉其君恭俭纳谏者，必忠臣也。言虽逆耳，而实利于行。导其君侈靡自是者，必奸臣也。言虽顺意，而其害无穷。人主能察于此，则太平可以长保矣。

【注释】

①本篇出自《宋史·蔡京传》，并见《宋史·陈东传》，叙述北宋末年以蔡京为首的六贼，利用宋徽宗的固宠，误国殃民，终致靖康之乱的故事。

②蔡京（1045—1126）：宋仙游（今福建省）人。字元长。熙宁三年进士。徽宗时，因童贯得为尚书右仆射，后为太师。以恢复王安石新法为名，四掌权柄，排斥异己，专以奢侈迎合帝意，广兴土木，工役浩繁。遍布党戚。金兵入侵，率全家南逃，为钦宗贬死。

③"丰、亨、豫、大"之说：《宋史·蔡京传》："京倡为丰、亨、豫、大之说，视官爵财物如粪土。"《易经》，丰，富饶；豫，安乐；无所拥碍谓之亨，无所不容谓之大。形容富足隆盛的太平安乐景象。为宋徽宗的奢华制造理论根据。

④梁师成（？—1126）：北宋末年的宦官，六贼之一。政和年间得徽宗宠信。善逢迎，凡御书号令皆出其手；常找人仿帝字伪造圣旨。善聚敛，受贿赂，卖官鬻爵。

⑤李彦（？—1126）：北宋末年宦官，六贼之一。宣和三年（1121）主持"西城所"，残酷霸占民田，有敢控诉者，加以重刑，致死者千万。运送贡物，劳民妨农。喜赏怒刑，福祸转手，因之得美官者甚众。钦宗即位，削官赐死，籍没其家。

⑥王黼（fǔ）（1079—1126）：北宋末年奸臣，六贼之一。宣和二年（1120）代蔡京执政，不久设应奉局，自兼提领，搜刮四方水土珍奇物品，据为己有，天下财力被用来挥霍。

⑦童贯（1054—1126）：北宋末宦官，六贼之一。性巧媚，因善迎合徽宗意图而获宠。徽宗以他为供奉官，在杭州搜方书画奇巧。助蔡入相，京则荐他在西北监军。使辽，邀赵良嗣归宋，遂开联金灭辽之计。

⑧六贼：北宋末年受宋徽宗宠信的六名权臣宦官：蔡京、梁师成、李彦、朱勔、王黼、童贯。太学生陈东等向皇帝上书，请诛六贼，因此得名。

⑨靖康之祸：靖康是宋钦宗赵桓的年号。靖康元年（1126）冬，金军攻破东京（今河南开封）。次年四月，金贵族在大肆勒索搜刮后，俘徽

宗、钦宗和宗室、后妃等数千人，北宋灭亡。史称“靖康之变”或“靖康之祸”，又称“靖康之难”。

【译文】

宋代史书上记载：徽宗在位时，天下太平的日子很久，国家府库积贮财物丰盛。蔡京为宰相，开始倡导“丰、亨、豫、大”之说，意思是天下富足隆盛的太平景象，是由于君主德大而财多，劝皇上应该尽享太平之乐。一次在国宴上，徽宗指着金玉制成的酒具说：“这酒器似乎太奢华了。”蔡京回答：“陛下身处天子之尊，应当享尽天下奉献的一切，区区玉制酒器，又算得了什么！”徽宗说：“先帝只建造了一个小的亭台，谏言劝阻的人很多。”蔡京又说：“事情如果在理，就是有人议论也并不足以畏惧。”由此徽宗一天比一天奢侈，有人劝谏也全都不听。蔡京又在正常租赋之外，广求余财来供皇上挥霍，还扩建宫室，以备皇上游乐。兴建延福宫，开凿景龙江，修造艮岳等工程，国内骚动，人心思乱，而蔡京受宠地位更加巩固，权势威震海内。此时，宦官梁师成和李彦由于能搜刮民财而受宠，朱勔由于能搜刮奇花异石而受宠，王黼、童贯由于假冒边功而受宠，均以蔡京为首。当时天下人把他们叫作“六贼”，最终导致了靖康年间北宋灭亡之祸。

述语[①]

右恶可为戒者三十六事。自古人君覆亡之辙，大略不出乎此矣。谚曰："前人踬（zhì）[②]，后人戒。"然世主皆相寻而不改。彼下愚不移，固无足怪。至如晋武、唐玄、庄宗之流，皆英明雄武，又亲见前代败亡之祸，或间关险阻，百战以取天下；及其志得意盈，迷心鸩毒[③]，遂至一败涂地，不可收拾，其视中才守成之主，反不逮焉。《书》曰："惟圣罔念作狂。"[④]成败得失之机，可畏也哉！

臣等尝伏读我太祖高皇帝《实录》，与侍臣论及古来女宠、宦寺、外戚、权臣、藩镇、夷狄之祸。侍臣曰："叔季之君[⑤]，至于失天下者，常在于此。"高皇帝曰："朕究观往古，深用为戒，然制之有道。若不惑于声色，严宫闱之禁，贵贱有体，恩不掩义，则女宠之祸，何自而生？厚其恩赉，不任以事，苟干政典，裁以至公，则外戚之祸，何由而作？宦寺便习，供给使令，不假以兵柄，则无宦寺之祸。不设丞相，六卿分治[⑥]，使上下相维，大小相制，防耳目之壅蔽，谨威权之下移，则无权臣之患。藩镇之设，本以卫民。使财归有司，兵必合符而调[⑦]，岂有跋扈之忧？

修武备以预防，来则御之，去不穷追，则无夷狄之祸。”睹此睿谟，诚万世圣子神孙所当遵守而弗失者也。至于端本澄源，正心修身，以销衅孽于未萌，杜间隙于无迹者，则又备在《宝训》及御制诸书，伏维圣明留意焉。臣等不胜幸愿！

【注释】

①这一段是本书下篇，恶可为戒的三十六事的结束语。

②前人蹶：前人跌倒。蹶，跌倒，挫折。

③鸩毒：《左传》闵公元年“宴安鸩毒，不可怀也”。此指宴安之为害，犹如鸩之有毒。

④惟圣罔念作狂：出自《尚书·周书·多方》孔传“惟圣人无念于善，则为狂人”。意谓明哲的人不肯思考，就会变成无知。

⑤叔季之君：叔世、季世合称。叔世，衰乱时代。谓国家扰攘濒临衰亡之际的国君。

⑥六卿分治：由吏、户、礼、兵、刑、工六部分掌国家行政。明初洪武十三年废宰相制，政归六部，由皇帝亲自执掌，中期以后，内阁实权渐重，内阁首辅无宰相之名，往往实为宰相。

⑦合符而调：调遣军队，必经验证，兵符必须相合。

【译文】

以上是可以作为训诫的三十六件恶事。自古以来君主覆亡的轨迹，大体不出乎这些事例了。谚语说：“前人蹶，后人戒。”可是后世人主都相继而不改。假若他是愚昧不可改变，固然不为奇怪。至于如同晋武帝、唐玄宗和后唐庄宗之类，都是英明雄武，又亲自见过前代败亡的灾祸，或者是历经崎岖艰难，身经百战夺得天下。等到他志得意满，却醉心于宴安享乐的鸩毒，遂导致一败涂地，无法收拾，反而不如中等资质的守成之君。《书经》讲："圣人无念于善，则为狂人。"这成败得失的契机，可怕呀！

臣等曾恭读我太祖高皇帝《实录》，太祖与侍臣谈起古代的女宠、宦官、外戚、权臣、藩镇与夷狄的祸乱。侍臣说："末世国的君主，以致丧失江山的，常常由于这些原因。"高皇帝说："我认真观察已往的古代，深深以此为戒，可要防止它也有办法：如不受声色蛊惑，严肃宫廷规制，贵贱有别，恩泽不能掩没道义，那女宠的祸患，何从产生呢？给予丰厚赏赐，不委任职务，倘若干犯典制，就依法裁断，外戚的灾祸，从哪里发作呢？宦官，接近的人就是提供使唤，不假借他们以兵权，就没有宦官的祸患。不设置宰相，六部分掌政权，使上下互相维系，大小相互制约，防止耳目闭塞，谨慎皇帝威福的下移，就没有权臣的祸乱。藩镇的设置，本来用以保卫百姓，使财政收入归于财政机关，兵符相合才能调遣军队，哪会有跋扈之忧？建设军事装备，严守边防，有来进攻就防御它，逃去也不再穷追，就没有夷狄的祸患。"明白这圣明的谋略，实在是万代尊贵的子孙所当遵守而不可失掉的。至于端正根本，澄澈源流，端正思想，注意修身，以消除争端在未尝萌发之际，杜绝间隙于未露形迹的道理，即已备载于祖宗《宝训》和先皇诸书。敬祈圣明天子留意，这是我们为臣子的最大的愿望了！